LE CAVALIER SANS NOM

LA COMPAGNIE DES OUBLIÉS
LIVRE 1

GÉRARD MONCOMBLE

Le cavalier sans nom

La compagnie des oubliés

Livre 1

Milan

TABLE DES CHAPITRES

*Où le lecteur pourra se régaler d'un seul coup d'œil
des multiples péripéties & rebondissements du récit.*

À Miłoska,
princesse du nord et du sud.

Première partie

La gore

CHAPITRE 1

CE SOIR-LÀ, LE VESSE SOUFFLAIT COMME MILLE SOUPIRS de sorcières. Il soulevait terre et pierres, tordait l'échine des arbres, faisait hurler les trous des rochers. Avec ce vent maudit, il y avait l'effroyable cortège d'éclairs blancs, le fracas des grêlons. D'énormes nuages sombres couraient dans le ciel bas. Parfois, des trombes d'eau claquaient sur la route, giflaient les murets. C'était un soir d'épouvante pour les cavaliers égarés.

Il en était un sur la plaine, qui trottinait d'un train de limace. Un jeune homme, vêtu de noir comme l'horizon. Malgré la large croupe de sa monture, il brinquebalait de droite et de gauche, accroché à la crinière. Il lui fallait toute son énergie pour se maintenir droit sur la selle. Ses chausses trempées clapotaient lamentablement à chaque pas de la bête. Il avait le cœur barbouillé, et frissonnait d'une immonde chair de poule.

— Si tu te maniais le gropotin, on arriverait peut-être avant l'Apocalypse, rabougri du galop! cria-t-il aux oreilles du cheval.

C'était peine perdue. Depuis le début de la tempête, terrorisé par les sifflements du vesse, l'animal n'était plus qu'une ombre vague. Il donnait l'impression de marcher au bord d'un précipice, tant chacun de ses pas était lent, précautionneux. Et peu lui importaient les menaces, les claques sur sa croupe.

Le vesse rend les chevaux fous. Dans quelque temps, la bête se mettrait peut-être à miauler ou à brouter son maître.

Ils entrèrent ainsi dans une forêt profonde, ténébreuse ; le cavalier pestant, toussant, le cheval roulant des yeux épouvantés. Ici, c'était pire encore. À présent, il faudrait compter avec les loups et les skonjs qui infestaient ordinairement ce genre d'endroit. Sans oublier les brigands de tout poil ou les Bblettes, ces charognards qui s'abattaient sur les voyageurs pour leur sucer cerveau et entrailles.

Il fallait un courage surhumain pour entrer là-dedans. Mais au moins étaient-ils à l'abri du vesse, qui se brisait sur le rideau des arbres.

Peu à peu le cheval sembla s'apaiser. Son cavalier redressa le torse.

« Allons, se dit-il, forçons le train et arrivons avant la nuit. »

Hélas. À l'instant même où le jeune homme et la bête passaient sous un gros boabab, un filet s'abattit sur eux. Ils roulèrent tous deux au sol, empêtrés dans le fouillis des cordages. Puis la forêt bruissa de toutes parts, comme si un troupeau de skonjs ratissait les sous-bois. Effroyable perspective, en vérité. Mais ce qui s'approchait des captifs, en trottinant, n'était qu'une bande de Poufs. De simples brigands de bas étage, ainsi qu'il en existe à chaque carrefour. Ils se déplaçaient toujours en horde. À cause de leur petite taille, il fallait qu'ils soient très nombreux pour venir à bout d'un homme.

Malgré le filin qui lui tordait joues et nez, le cavalier soupira de soulagement. Les Poufs n'étaient pas de mauvais drôles, en général. Ils dévalisaient, rançonnaient, torturaient, tout au plus.

Il regarda venir à lui le chef des Poufs.

–Salut, joli brigand. Quel bon vent t'amène ?

L'autre le contempla un moment de ses petits yeux sans paupières, à la manière d'un tamanoir découvrant un nid de fourmis. Il souriait béatement.

–Je crois que tu feras l'affaire, trotte-petit.

IL EST DES CAUCHEMARS PLUS RÉJOUISSANTS. CAR SI CES Poufs-là n'étaient, comme leurs semblables, ni des assassins, ni des philosophes, ils eurent un étrange comportement. D'honnêtes brigands auraient abreuvé leur victime de bougnes, d'insultes. D'honnêtes brigands lui auraient tranché un doigt ou deux, histoire d'impressionner d'éventuels payeurs de rançon. D'honnêtes brigands auraient dépouillé le jeune homme de ses vêtements et le cheval de son harnachement. Là, non.

Les Poufs libérèrent d'abord la bête, qu'ils chassèrent d'un jet de pierres. Puis ils cousirent le filet, afin d'y emprisonner le jeune homme. Enfin, chacun agrippant une maille, ils se mirent en marche vers le sud.

Le filet et son occupant cahotaient sur les rochers, labouraient la boue puante des marécages, les buissons épineux. Ce fut pour le cavalier un voyage éprouvant. On aurait eu plus d'égards envers un sac de blute. En comparaison, le vesse et ses hurlements étaient d'aimables fariboles. Le pauvret finit par perdre connaissance.

À l'aube, les Poufs s'arrêtèrent au centre d'une clairière, flanquèrent pour la forme quelques bougnes au prisonnier et s'en furent comme ils étaient venus, sans tambour ni trompette.

Manifestement, il y avait aiguille sous cloche. Les Poufs n'avaient tout de même pas traîné un cavalier sur plus de trente lieues pour tester la solidité de leur filet. Il y avait autre chose, mais quoi ?

La réponse ne tarda pas.

Des silhouettes s'avancèrent parmi les hautes herbes. Celle d'un colosse et deux autres, plus frêles.

– Le butin est mince, gentils frères. Roupillon et ses Poufs mollissent.

– T'y fie pas, Trois. Rappelle-toi le frisottin à la tronche enfarinée, hier. L'avait l'air de rien, mais sa tête était aussi pleine qu'un nid de formillions ! Pas vrai, Un ?

– Sûr, Deux. Ça lui grouillait sous les yeux !

Il y eut un énorme éclat de rire, qui fit s'agiter le jeune homme, sur l'herbe.

– La gibaille se réveille, on dirait, gloussa Un.

Trois agrippa le filet d'une main et le petit groupe s'enfonça sous les frondaisons.

– Par la barbiche de Zout ! Allez-vous me trimballer dans ces fichues mailles toute la sainte journée, bande d'écornichoufleurs ?

Les trois frères s'arrêtèrent et lorgnèrent leur proie, qui s'agitait fort.

– Ce barbeau va sûrement intéresser M'man, murmura Un. Il a l'air d'avoir la caboche grasse à souhait.

– Vous m'entendez ? Ou vos esgourdailles sont-elles bouchonnées à la cire, gredards ?

Sans même se pencher, Trois planta deux gros doigts dans les narines du jeune homme et leva lentement l'ensemble vers lui.

– Tu nous fatigues, rouquin. Tais-toi donc.

Et il balança une gifle au captif, qui tourna de l'œil. Le mastard avait la main diablement lourde. Deux tapota fermement le bras de son frère.

– N'abîme pas la marchandise, ballot !

– En tout cas pas avant la gore, ricana Un.

Le petit groupe fit encore quelques pas avant de parvenir devant l'entrée d'une grotte. À l'intérieur, c'était noir comme le plumage d'un gnour.

Un se gratta la tête.

– M'man doit être encore en train de rêvailler. Elle déteste qu'on la dérange…

– Quand elle verra ce qu'on lui amène, elle changera d'avis, dit Deux en allumant une torchère.

Mais il serra les fesses en pensant aux colères de M'mandragore, plus terribles encore que celles de Ggrok, le dieu des Marais-Puants. Du moins l'affirmait-elle.

– C'est nous, M'man, balbutia-t-il, planté devant l'impressionnante masse de sa mère, laquelle ronflait comme une meute de Bbroins.

Cela ne manqua pas. M'mandragore s'éveilla en sursaut et détesta ça. En un clin d'œil, elle vira au cramoisi. Puis ses quadruples mentons se mirent à trembler comme gélatine, ses pieds martelèrent le sol glaiseux. Elle éructait, elle bavait, elle révulsait ses gros yeux. Ah, la belle colère ! Puis, ainsi qu'à l'ordinaire, elle se calma et appela ses fils, tapis derrière une stalagmite.

– Par Ggrok ! brama-t-elle. J'étais en train de déguster un rêvaillon qui coulait comme du sirop d'abeille, mes loupiots ! Et, bande de crève-pinglots, voilà que vous m'interrompez ! Bardache ! Vous n'êtes que des…

Elle cessa net son bavardage en apercevant le filet garni du cavalier, au bout du bras de Trois. Sa grosse bouche bleue s'étira, fendant de droite à gauche sa monumentale figure. Elle souriait.

– Une nouvelle proie, mes marmotins ?

Un, Deux et Trois hochèrent la tête en silence. Les Poufs avaient joué leur rôle, et eux aussi. Maintenant, c'était à M'mandragore de poursuivre le travail. Trois trancha les mailles du filet et déposa le corps inerte aux pieds de sa mère.

– Laissez-moi, grogna-t-elle.

Les autres n'insistèrent pas pour rester. Le spectacle de leur mère pratiquant la gore leur était insupportable. Le bruit, surtout. M'mandragore faisait beaucoup trop de bruit, notamment avec la bouche.

CHAPITRE 3

DANS LA GROTTE, IL RÉGNAIT À PRÉSENT UN SILENCE presque total. Seul un petit halètement régulier résonnait dans la pénombre. Comme à chaque gore, M'mandragore devait s'interrompre de temps en temps pour reprendre son souffle. L'opération était pénible. Certes, elle l'était pour la victime, mais aussi pour l'ograsse, qui devait trier un nombre effarant d'informations, avant de les recracher mot à mot, sur d'interminables parchemins. Et d'en remplir force grimoires.

Cependant le résultat en valait la peine. La gore faisait d'elle et de ses fils des gens avec lesquels il fallait compter. Encore quelques dizaines de lunes et son clan deviendrait si riche et si puissant qu'un jour, peut-être, on y choisirait le Kron. Elle songeait à Un, bien sûr. Outre qu'il était l'aîné, c'était le plus fripouillard du trio, le plus habile à mentir, le plus lâche. Trois qualités essentielles au jour d'aujourd'hui. Qui sait si le pays des Kronouailles ne serait pas un jour gouverné par le Kron Un ?

Elle respira profondément et se remit au travail. Par Ggrok, le voyageur était inépuisable ! À croire qu'il avait vécu dix vies ! Il paraissait pourtant bien jeune.

Beau garçon, ma foi. Larges épaules, hanches étroites, fines gambettes musclées. Des bouclettes rousses autour d'un front légèrement bombé, des lèvres pleines et vermeilles, une peau cuivrée. De belles mains aux doigts de femme. Oui, c'était un bien joli marmouset, pensait-elle. Une proie idéale, en comparaison de certains vieux barbons qui couraient la campagne. Ce chérubin allait lui fournir sa plus belle gore depuis des lunes.

M'mandragore avait l'impression que sa propre cervelle se gonflait lentement, comme ces outres de cuir qu'on remplit d'air au flanc des radeaux pour les tenir à flot. C'était enivrant, cette délicieuse sensation de se remplir de piments et de miel. Un curieux mélange au goût épicé. Des images de bals costumés, de ténèbres, de cavalcades, de batailles, de douces paroles murmurées, lui vinrent derrière les paupières. Tant et si bien que peu à peu, pour la première fois, elle s'endormit en plein travail. Gavée au-delà de tout.

Bientôt, enserrant le jeune homme, la bouche posée sur la tête bouclée, elle ronflait à tire-larigot.

AU DÉBUT IL AVAIT FLOTTÉ DANS UN BROUET TROUBLE, tiède. Plus tard il lui sembla entendre le bruit d'un évier qui se vide, aspiré par un siphon géant. Maintenant, c'était comme si un essaim de grelons vrombissait à l'intérieur de sa cervelle. Très désagréable. Il remua, ses mains rencontrèrent une masse molle et adipeuse.

Il entrouvrit les yeux. Par Zout ! que faisait-il là, dans les bras caoutchouteux d'une femme monstrueuse, qui ronflait aussi fort que mille niflards ? En plus d'un insupportable parfum de patchouli puant.

Il tenta de se dégager mais si son corps parvint à bouger, il lui était impossible de remuer le crâne, soudé à la bouche de la flasque matrone. Il se mit à hurler d'épouvante.

M'mandragore, surprise dans un sommeil profond, s'éveilla aussitôt. Des cris pointus lui vrillaient les tympans. Elle ouvrit la bouche pour glapir : « Tout doux, les mouflons ! », persuadée qu'il s'agissait de ses fils. Ce faisant, ses lèvres épaisses quittèrent sa victime, qui bondit aussitôt sur le sol. Libre comme un poupillon.

–À moi, Un ! Deux ! Trois !

M'mandragore s'était vite ressaisie. Sa voix roula dans la grotte, rebondissant de paroi en paroi, poursuivant la course éperdue du fuyard. Que pouvait-elle faire d'autre, plombée qu'elle était par son énorme masse ? Elle brassait l'air de ses énormes bras, elle s'égosillait.

–Le chérubin se ratrousse, les gosselins ! Sus ! Sus !

Les frères n'étaient pas loin. Aux tonitruants barrissements de M'mandragore, ils se ruèrent dans la grotte, Trois en tête, qui riait déjà à la pensée d'écrabouiller le rouquin.

–On le tient, t'en fais pas ! s'époumona Un.

Il tentait ainsi de rassurer M'mandragore, qui beuglait dans son coin. Mais, à vrai dire, Un et ses frères ne tenaient pas grand-chose, et même ils ne tenaient rien du tout. Le jeune homme, aussi leste qu'une fluette, avait grimpé le long d'une des grandes stalagmites qui s'élevaient vers le plafond et s'était réfugié à plus de dix coudées, sur une corniche étroite. Coincé mais à l'abri de ses poursuivants, du moins pour l'instant.

–Descends donc, fils de grenuche ! hurlait Deux en agitant ses poings chétifs.

Un balança quelques cailloux et Trois tenta d'escalader à son tour la frêle colonne, qui s'effondra sous son poids.

–Descends, mon angelot, minauda l'ogresse. On te fera pas de mal, tu sais bien.

Sa grosse tête levée vers le fuyard, elle essayait de sourire, les mains jointes comme pour une prière. Ses fils l'imitèrent et tous les quatre firent assaut de doux chuchotements, de flatteries fourrées à la guimauve.

–M'man te rendra tout ce qu'elle t'a volé, blondinet...

– Si tu veux d'autres souvenirs, on te les donnera.

– C'est qu'on a de la réserve, ici! Le gorail en est plein!

– Viens, mon joli chérubin, viens voir ta M'mandragore qui t'aime.

Là-haut, le jeune homme les regardait sans rien comprendre. De quoi parlaient donc ces quatre fous furieux? Des souvenirs? Quels souvenirs? Il avait justement l'impression d'être une coquille vide; d'avoir du vent dans le crâne.

– Viens, je te bercerai, continuait M'mandragore, et tu oublieras tous tes chagrins, tous tes ennuis, viens, mon pipounet…

– Laisse donc, M'man! Je vais le faire descendre, moi, ton rouquin!

C'était Trois, qui pointait sur le fuyard un mouchequet dont il venait d'allumer la mèche.

– Par Ggrok! espèce de gruche bornée! Si tu lui esquintes le crâne, comment pourrai-je continuer à le gorer?

Trop tard. La détonation claqua et, si la balle n'atteignit pas son but, elle fit s'effriter un pan de mur à côté du jeune homme. Un énorme nuage de poussière masqua pendant un instant la corniche, et on entendit tout à coup des milliers de battements d'ailes. M'mandragore se mit à hurler de terreur.

– T'as débusqué un nid de pissetrelles!

Les pissetrelles! Ces effroyables chauves-souris aux yeux rouges, qui s'abattaient sur bêtes ou gens pour les saigner en un tournemain!

– Faut sortir d'ici et vite! On va se faire bouffailler vivants!

Et, tirant l'énorme M'mandragore par un pied, les frères quittèrent la grotte, taraudés de près par les terribles bestioles. Trois les tint à distance en faisant tournoyer la crosse de son mouchequet. Les pissetrelles ne s'aventurèrent pas dehors. Elles craignaient la lumière du jour.

—La gore est fichue, pesta M'mandragore. L'angelot va être vidaillé de son sang! Il sera inutilisable.

Vautrée sur le sol boueux, elle ressemblait à une baleine échouée. Une baleine folle de rage, dont on avait interrompu le festin. Un prit la main de sa mère et tapota distraitement la chair molle.

—T'en fais pas, M'man. Les Poufs nous en ramèneront plein d'autres.

—Çui-là, je voulais le finir, grogna-t-elle. Jamais vu une mémoire pareille!

Un soupira. Sa mère était insatiable! Elle aurait englouti les souvenirs du monde entier si elle avait pu.

CHAPITRE 5

AU-DESSUS DE LUI, LE CIEL ÉTAIT NOIR COMME LE croupion d'un skonj. Pas la moindre étoile. Rien d'autre que deux lunes jumelles, posées côte à côte. Deux lunes ? songea le jeune homme.

Il y eut un petit aboiement rauque et les deux lunes se rapprochèrent à toute allure. Des griffes se plantèrent sur son cou, laborèrent ses épaules, il sentit un bec gluant fouiller ses cheveux. Une frouille ! Pouach ! Le charognard le plus répugnant qui soit !

Le plus craintif, aussi. Il s'en débarrassa d'un revers de main. La frouille s'envola en poussant son hurlement sinistre. Le jeune homme frissonna. Les frouilles s'attaquent d'ordinaire aux cadavres. Il fit bouger ses oreilles, claquer sa langue, il tripota son nombril, son nez, ses genoux. Il compta ses doigts de pied, sifflota, cligna de l'œil. Tout était en place, tout fonctionnait. Pourtant il avait la sensation terrible qu'il lui manquait quelque chose. Quelque chose d'extraordinairement important.

D'abord, où était-il ? Il ferma les yeux, tenta de se concentrer. Son crâne était rempli d'une épaisse bouillie de poix. Il eut les pires difficultés à faire émerger quelques images. Celle des pissetrelles lui parvint d'abord. Un nuage de pissetrelles, vomi par le mur, dans un battement monstrueux. Voilà, les souvenirs revenaient, à présent, un à un, dans l'ordre. Le vesse qui sifflait, la forêt, les Poufs et leur filet, les trois frères, le monstre à tête de femme. Le coup de mouchequet, l'effritement du mur.

Bigrefrousse! il avait bien cru que c'était fini. Déjà les pissetrelles commençaient à le picorer. Il avait dégringolé la paroi, atterri sur le sol de la grotte. Un, Deux et Trois étaient en train de tirer leur épouvantable mère vers la sortie, empêchant toute fuite de ce côté-là.

Alors il avait cherché une cachette, une fissure, quelque chose qui puisse le protéger des pissetrelles qui s'acharnaient sur lui. Il avait vu cet orifice béant. C'était la seule issue, la seule. Il s'y était enfourné sans l'ombre d'une hésitation. Les pissetrelles ne l'avaient pas suivi, sans doute à cause d'un fort courant d'air.

La brèche débouchait sur un large boyau, creusé à travers la roche par une ancienne rivière. Un vrai lit de glu, en pente forte, sur lequel il avait glissé et cahoté un long, un très long moment, avant de venir s'échouer ici, à l'air libre, au pied d'une petite falaise. Il était tombé sur un matelas de sable et d'herbes molles, qui avait amorti sa chute. C'était miraculeux. Puis il avait dû s'évanouir, ce qui était la moindre des choses après pareille aventure.

Il se releva, fit quelques pas en titubant. Pourquoi avait-il l'impression d'être une baudruche dégonflée ? Le haut de son crâne était douloureux, il y passa la main, sentit un creux plus tendre que le reste, exactement au centre. Comme une cicatrice récente. Il revit les énormes lèvres bleues penchées sur lui.

Qu'est-ce que l'épouvantable matrone avait pu lui enlever ? Du sang ? De la cervelle ? Sa...

Il se figea net. Lentement, à haute voix, il dit :

–Mon nom est...

Sa poitrine se mit à sonner, *tam-tam-tam-tam-tam*. Il répéta, plus haut :

–Je m'appelle... m'appelle...

Le jeune homme vacilla, s'appuya sur un rocher en saillie. En quelques secondes, il ruissela d'une sueur glacée, et ses dents s'entrechoquèrent. Bigrefaille ! il comprenait tout, à présent ! Tout ! Cette grosse truie lui avait sifflé la mémoire ! Elle avait torché ses souvenirs comme une bouteille de kohol ! La *gore* ! Ce mot qu'avait prononcé un des trois frères lors de sa capture ! C'était cela !

Il s'effondra sur le sol et éclata en sanglots. Il pleura ses souvenirs perdus, son enfance engloutie, ses amis ; il pleura sa mère dont il ignorerait à jamais le visage ; il pleura son nom disparu et le chien qui l'attendait peut-être au seuil de sa maison.

Sa vie allait ressembler à un triste et pauvre flacon sans étiquette.

CHAPITRE 6

Il y eut une longue journée et une longue nuit pendant lesquelles le jeune homme sans nom sombra dans la mélancolie la plus sombre. Il se sentait mille fois plus solitaire que s'il avait été jeté sur une île déserte. Mille fois plus glacé que si le givre d'hiver lui avait servi d'habits. Mille fois plus abandonné que les enfants des gueux dans les forêts profondes. Et surtout, il se sentait prisonnier d'un néant total et définitif.

Ça faisait beaucoup pour un seul jeune homme. Beaucoup trop. Au matin du deuxième jour, il décida qu'il était venu au monde une seconde fois et qu'il lui faudrait recommencer à tout apprendre. Comme un nourrisson, il avait de nouveau la fontanelle béante, puisque la bouche de M'mandragore l'avait rouverte. Comme un nourrisson, il n'avait pas de passé. Pas même les neuf mois passés dans le ventre maternel.

Naturellement, il gardait quelques avantages sur un nouveau-né, comme la parole, dont une cargaison de jurons très grossiers, la marche sur les deux jambes et trois poils au menton. Sans oublier des vêtements crottés et un gros rubiole au petit doigt. Une pierre d'une pureté incroyable. Bizarrement, on ne l'en avait pas dépouillé.

Peut-être le bijou pourrait-il lui apprendre quelque chose. Un prénom, un blason, une devise... Il essaya de l'ôter. Le rubiole ne broncha point. Il semblait soudé à la chair.

Il leva les yeux vers l'est qui commençait à rosir et quitta le lit de mousse où il nichait depuis deux jours. Sa mélancolie s'était évanouie, comme un vol de corbaillons. Il se sentit soudain rempli d'audace. De plus, son estomac était vide. Voilà deux raisons qui poussent souvent les jeunes gens à l'aventure.

Il s'engagea sur une sente de cailloux blancs, qui serpentait en pente douce dans les fourmilles. L'air embaumait un fort parfum de picon. Il aurait presque pu siffloter avec insouciance. Il ne savait pas qui il était, d'où il venait ni même où il allait, mais il avait décidé de ne plus s'en soucier.

Il vivait là un matin tout neuf. Le matin de sa seconde naissance.

C'est dire s'il déchanta quand un individu d'au moins deux cents livres lui dégringola sur le dos, sans prévenir. Deux pinces se mirent à lui serrer le cou, une paire de genoux le prit en tenaille. Il s'affaissa, la figure plaquée dans la boue.

– Traîne-Souche ! Ventre-à-Terre ! Pustule ! Bel-Essaim ! Graine-de-Rien ! Cuculle ! Pense-Bête ! Gargouille ! Graboulez-vous ! J'ai garrotté le tout-nu comme une lune cuite !

Des taillis alentour surgirent des femmes et des hommes glapissant, trépignant, bâton ou gourdin à la main. Ils formèrent un cercle serré autour des deux hommes à terre.

Bel-Essaim, une jeune femme aux cheveux bleus, s'étonna, la bouche arrondie :

– Ta prise est bonne, Bouffe-Bœuf. Celui-là est vraiment mignard ! Mais pour un tout-nu, il est plein d'habits !

– Et t'as vu le clincant qu'il a au petit doigt ? siffla Graine-de-Rien.

– C'est pas un rugueux comme nous, on dirait.

– Rien de ça, non ! Peut-être un marchand de vents !

– Ou un dieu dégringouillé des étoiles !

– Paix, les tourteaux ! aboya Bouffe-Bœuf. On va l'interroger, il crachera ses mots. S'il cause !

D'un coup de reins, il se releva, attrapa le pied de sa victime et commença à la traîner sur le chemin. Bel-Essaim se mit devant lui et écarta ses bras pour l'empêcher de passer.

– Astoppe-toi, Bouffe-Bœuf, tu vas me le rabîmer…

L'homme haussa les épaules et bouscula la donzelle d'un revers de main. La prise était la sienne et il en ferait de la compote d'orgnon s'il voulait.

– T'entends ce qu'on te dit, paillasse ?

Bouffe-Bœuf fronça les sourcils. Qui parlait ?

– Lâche-moi les orteils et je m'en servirai pour te botter le gropotin !

Il baissa les yeux. C'était le freluquet qui couinait. Il passa outre et continua son chemin.

– Oui, lâche-le, qu'on se régale ! cria Traîne-Souche.

– Une belle échauffourre, pleine de cagasses ! Pleine d'entourloupes ! On veut voir ça, Bouffe-Bœuf !

Un chef doit savoir faire plaisir à son clan. Chez les Bougres, ça faisait des lunes qu'il n'y avait pas eu la moindre bagarre. Bouffe-Bœuf lâcha donc la jambe du maigrichon et se mit en posture. Va pour l'échauffourre !

En face de lui, le jeune homme se relevait lentement, étonné d'être si vite parvenu à ses fins. Il s'épousseta les habits d'un air guilleret et sourit à Bel-Essaim.

– Merci, jolie dame. Je me battrai pour vous.

Bel-Essaim s'empourpra de contentement. C'était la première fois qu'on la traitait de dame et qu'on la vouvoyait. D'ordinaire, on l'appelait tantôt roule-hanche, tantôt cul-de-poule.

Les deux adversaires s'observèrent un petit moment, chacun à sa manière : Bouffe-Bœuf en faisant tournoyer ses deux gros poings, l'autre en sautillant autour du Bougre comme un criquaillon.

– Tu gambetteras moins quand je t'aurai cagassé ! brailla Bouffe-Bœuf.

Et il sauta sur le jeune homme. Sa tactique était simple : le prendre en étau entre ses deux bras et serrer jusqu'à étouffer toute résistance. C'est ainsi qu'il avait toujours remporté ses combats. Mais il n'étreignit que du vent. Le jeune homme avait lestement fait un pas de côté et évité l'attaque.

– T'as le gropotin plombé ! ricana-t-il.

Bouffe-Bœuf sentit ses oreilles chauffer à blanc. Il balaya l'espace de ses deux bras, une fois, deux fois, trois fois, *zap, zap, zap*, sans même effleurer le moucheron, qui virevoltait autour du colosse en l'abreuvant d'injures bien senties.

– Grabedon ! Pachyderche ! Mafflure ! Sac à panse ! Patabouffe !

Les Bougres se taisaient, éberlués qu'on puisse tenir tête à leur chef. Bel-Essaim riait. Bouffe-Bœuf commençait à fatiguer.

– Sors ton coupe-tripes ! cria Pustule.

Haletant, Bouffe-Bœuf songea que c'était une bonne idée. Le coupe-tripes, oui ! De quoi rabattre le caquet à ce crapoussin ! Il plongea la main dans les replis de sa tunique et une lame d'ivoire brilla soudain dans la lumière. Bel-Essaim se mit à bramer.

– T'as pas le droit ! Tripotard ! Pétochon !

En face du Bougre, le jeune homme avait pâli. Il gardait l'œil rivé sur l'arme en se demandant comment il allait pouvoir s'en sortir. Bigresurin ! ce coupe-tripes était assez large pour lui trancher la tête d'un coup. Il haussa désespérément la voix :

– Ton tripote-dent ne m'impressionne pas, bouffe-baffes ! Maintenant, je vais me fâcher tout cru !

Ce fut radical. Bouffe-Bœuf se mit à hurler :

– Krabousse ! Krabousse ! Tous aux trouyères ! À forss-sallure !

En un tournemain, tous les Bougres, Bouffe-Bœuf en tête, s'évanouirent dans les fourmilles. Le criquaillon resta seul, toujours sautillant, soudain incrédule. Ce devait être une ruse. Puis, comme personne ne revenait, il se frappa la poitrine et poussa un cri de triomphe. Bouffe-Bœuf et sa compagnie de mange-crottes venaient de baisser pavillon. Il tomba à genoux et remercia Zout, son protecteur céleste. Le seul nom à lui être resté en mémoire depuis la gore. Un signe du destin, sans nul doute.

Derrière lui il y eut un bruit rauque et une odeur puante lui envahit les narines. Comme si un dragon hideux à l'haleine fétide venait de lâcher un rot derrière lui. Il se retourna, plutôt inquiet.

C'était exactement cela. Un dragon hideux à l'haleine fétide venait de lâcher un rot derrière lui. Il en lâcha même un second puis ouvrit son énorme gueule plantée de mille dents et se mit à rugir d'effroyable manière.

Zout était finalement un dieu surfait, question protection.

SE RETROUVER NEZ À NEZ AVEC UN MONSTRE ÉCAILLÉ MUNI d'une queue fourchue, de six pattes et d'une tête à épouvanter les Bbroins est une expérience qui forge le caractère, si on en réchappe. Mais autant vouloir compter les grains de sable du désert d'Ompaline : la bataille est perdue d'avance. D'ailleurs il n'y a pas de bataille. Le dragon gobe, broie puis engloutit sa proie. Si, par chance, il l'enfourne sans la mâcher, la pauvrette peut se retrouver vivante dans son estomac. Mais qu'elle ne se réjouisse point trop vite : comme tous les mammifères, les dragons ont d'excellents sucs digestifs.

Celui-là était connu sous le nom de Krabousse. Haut comme un donjon, il possédait d'horribles petits yeux noirs, luisants de cruauté et, au bout de chaque patte, d'effroyables griffes. Une crête orangée s'agitait sur le haut du crâne. On pouvait difficilement imaginer pire.

Le jeune homme ne tenta même pas de fuir. À quoi bon ? Il regardait la rangée d'incisives claquer devant lui en songeant qu'il ne saurait jamais ni d'où il venait ni qui il était.

Le monstre se pencha vers le sol, gueule béante.

C'est alors qu'une course effrénée se fit entendre au lointain. *Cataclop cataclop*, le bruit croissait, prenait de l'ampleur, devenait assourdissant. *Cataclop cataclop cataclop*, qui donc galopait si fort dans la poussière ? *Cataclop cataclop cataclop cataclop*, la clairière résonnait à présent comme meute de cloches sonnant à toute volée.

Et le cheval parut. La croupe aussi large que haute, il devait bien atteindre une longueur de dix coudées. Sept cavaliers auraient pu y tenir à l'aise. Des pattes épaisses comme les colonnes d'un temple, une encolure mafflue, une tête aux naseaux fumants ! Par Zout le Couard, quelle allure ! s'émerveilla le jeune homme. Un seul point noir : sa robe, d'un jaune pisseux tirant sur le vert caca d'oie ; comme si, à sa naissance, on l'eût trempé dans un cuveau de jarvelle.

Bel-Essaim le chevauchait en amazone.

– Monte, mignard ! hurla-t-elle en lui tendant sa main.

Il sauta en croupe, sous l'œil médusé du Krabousse, dont la mâchoire se referma sur le vide. Le cheval et lui étaient de vieilles connaissances. Également les pires ennemis du monde.

– Grand merci, Bel-Essaim, murmura-t-il à l'oreille de la Bougresse, qui se mit à rire.

– Remercie plutôt Ganachon. Sans lui, t'étais racuit. Le Krabousse ne rate jamais sa proie d'ordinaire.

– Tout le plaisir est pour moi, cavalier, dit une voix rauque.

Le jeune homme faillit en avaler sa langue.

– Qui parle ? bégaya-t-il.

– Ganachon, pardi ! gloussa Bel-Essaim. Y a pas plus bavotton que ce trotte-bouffi.

Un cheval de dix coudées qui parlait ! Bigrebroute ! Peut-être même jouait-il de la vielle de gambette, ce phénomène à pattes !

Ils galopaient à présent au fond de ravines épineuses, Bel-Essaim appuyée négligemment sur la poitrine du jeune homme, Ganachon bavardant de choses et d'autres. Ils parvinrent jusqu'à une clairière d'herbes rousses. Il y avait là quelques tentes de peaux disposées en cercle, des tas de rondins, un foyer garni de pierres.

– Te voilà chez nous, mignard. C'est notre camp.

La Bougresse montra ensuite des cavités creusées dans les falaises, au-dessus d'eux. À chacune pendouillait une échelle de corde.

– La nuit, on roupille là-haut, dans les trouyères. À cause des bestiards et du Krabousse.

Le jeune homme se méfiait de la suite. Les Bougres n'avaient pas été des plus accueillants, tout à l'heure. Il les vit au loin, hommes et femmes, serrés les uns contre les autres comme un banc de sardines, leurs yeux inquiets tournés dans sa direction. Mais il faut croire qu'échapper au Krabousse valait passeport pour le clan. Lorsque Ganachon s'arrêta devant Bouffe-Bœuf, le chef des Bougres leva sa main.

– Tu es protégé par les dieux, tout-nu. Le Krabousse n'a pas voulu de toi.

– Ne m'appelle pas tout-nu ou je te donne du grabedon, bouffe-bouffe !

Tout le monde hurla de rire, y compris le colosse, qui appréciait les bombeurs de torse.

– Alors dis-nous ton nom ! lança Ventre-à-Terre.

Nouveaux hurlements de rire. Un nom… Comme si les tout-nus avaient un nom ! Sacré Ventre-à-Terre ! Toujours la calembourre à la bouche !

Le jeune homme resta muet une seconde. Et s'il en inventait un sur-le-champ, bigreblaze? songea-t-il. Alors, sans qu'il sût d'où ils venaient, des mots surgirent sur sa langue, et il lâcha:

– Je me nomme Bouzouk. Achille Bouzouk. Mon père était le grand Tristan Bouzouk, seigneur des Hautes Terres, et ma mère, la magicienne Yonne, règne sur le Pays des ombres et de l'eau. J'ai dit.

Les autres restèrent bouche bée. Il leur fallut se rendre à l'évidence: ce tout-nu n'était pas un tout-nu ordinaire. Et même, ce n'était pas un tout-nu du tout.

CHAPITRE 8

UN JOUR AVAIT PASSÉ. DEPUIS QU'IL S'APPELAIT ACHILLE Bouzouk, le jeune homme faisait l'objet de toutes les attentions du clan. L'un après l'autre, les Bougres s'étaient entraînés à prononcer son nom. Ils le répétaient avec délices, détachant chaque syllabe avec application. Ils lui apportaient à manger, s'effaçaient pour le laisser passer. Achille Bouzouk, d'abord incrédule, s'était finalement laissé faire. Mais il ne comprenait pas. Avoir un nom était donc si important, chez les Bougres ? Même Bouffe-Bœuf était aimable et le saluait de loin. Quant à Bel-Essaim, qui lui avait offert l'hospitalité dans son antre, elle ne cessait de lui tournicoter autour comme une abeille autour d'une figue mûre. Aux questions qu'il lui posait, elle répondait par des ricanements. « Trop curieux vit pas vieux, mon mignard ! » disait-elle.

Achille n'avait pas l'intention de séjourner long-temps chez les Bougres mais tout cela l'intriguait terri-blement.

Ce fut le second jour que tout s'éclaircit.

Bel-Essaim était en train de lui compter les doigts lorsque Pustule, un garçon blême et boutonneux, débaula dans le camp en hurlant.

–Y a un tout-nu au Bouchard! Y bouge pas, rien!

Ce fut une joyeuse bousculade chez les Bougres. Bouffe-Bœuf en tête, tout le monde galopa derrière Pustule. Achille Bouzouk suivit le mouvement. Une chasse au tout-nu, bigrecourre! À entendre les glapissements et les rires, il y avait de la bamboche dans l'air! La petite troupe trotta jusqu'au Bouchard. Achille Bouzouk sursauta. L'endroit lui était familier. Le Bouchard, c'était le trou qui l'avait craché, dans la falaise, quelques jours auparavant.

–Là! Biglez! Là!

Pustule n'avait pas menti. Il y avait bien un tout-nu, sur le lit de sable blanc et d'herbes molles. Immobile, l'homme regardait les Bougres s'avancer vers lui avec des yeux fous d'épouvante. Il était nu, il grelottait. On entendait ses dents s'entrechoquer à dix pas.

–Çui-là est déjà racuit avant qu'on le prenne, grogna Bouffe-Bœuf.

Les Bougres s'étaient calmés. Un tout-nu sans résistance ne les intéressait pas. La fête tournait court avant même d'avoir commencé. Graine-de-Rien siffla:

–On l'appellera La Grelotte.

Bouffe-Bœuf enleva sa capille de fourrure, la mit paternellement sur le dos du tout-nu.

–Manquerait plus que tu t'emmorves par-dessus le marché, freluque!

Le clan fit demi-tour. La Grelotte restait vissé sur le sable, toujours hébété, Bouffe-Bœuf à ses côtés. Achille Bouzouk s'assit près d'eux.

–Explique-moi tout, compagnon.

–Tu vois, dit le Bougre, il a pas de nom, lui. Il sait rien. Comme moi, au début, comme Gargouille, comme Bel-

Essaim, Pustule, Traîne-Souche, tout le monde. Le Bouchard crache un tout-nu de temps en temps. Quand le Krabousse nous le laisse, on le prend, on le vêtoche, on s'en occupe.

Achille Bouzouk commençait à comprendre des choses.

– Toi aussi, Bouffe-Bœuf, tu as dégringouillé du Bouchard ?

– Tout droit ! Pense-Bête m'a conté que j'ai mis une lune avant de baragouiner un mot. J'embâfrais, ça ouiche ! C'est pas pour rien qu'on m'a nommé Bouffe-Bœuf !

– Et avant le Bouchard ?

– Avant ? Rien.

Ainsi les Bougres venaient-ils tous de la caverne de M'mandragore. Ils avaient eu la mémoire pilléc, comme Achille Bouzouk. Pire encore, car ils n'avaient aucun souvenir d'avant. L'ograsse aux lèvres bleues avait aspiré tous leurs souvenirs. Ensuite Un, Deux et Trois dépouillaient les victimes de leurs habits et les balançaient dans le boyau situé au fond de la grotte. Comme on se débarrasse d'ordures.

Quand les tout-nus sortaient du Bouchard, ils étaient des proies idéales pour le Krabousse, qui souvent les guettait pour les gober. S'ils en réchappaient, ils devenaient des Bougres. Condamnés à se terrer dans leurs trouyères, dès que la nuit tombait. Combien étaient-ils aujourd'hui ? Une dizaine, pas plus.

– Je n'ai pas vu d'enfants, murmura Achille.

Bouffe-Bœuf eut une grimace douloureuse.

– C'est bonbec pour le Krabousse. Il nous les a tous bouffaillés ! Et les femmes grosses d'enfant sont des proies trop faciles ! Si jamais une Bougresse te plaisait, pistounet, penses-y.

Le jeune homme en fut bouleversé. Bigrefaux ! cet endroit était pire qu'un terrier de skonj ! Un nid où rôdait la mort ! Sec et stérile ! Pas d'amour ! Pas de naissance ! Le clan réduit à attendre l'arrivée d'un tout-nu pour se renouveler !

– Il faut partir d'ici, Bouffe-Bœuf.

– Quitter le Cuvon ? Ah ! Ah ! Sacré Bouzouk !

Le Bougre montra la falaise d'un signe de tête.

– Grimpe et bigle le paysage.

Sur sa partie basse, la paroi était hérissée d'arbustes. Achille n'eut aucune difficulté à se hisser sur une vingtaine de coudées, au-dessus des fourmilles.

– Alors ! hurla Bouffe-Bœuf. Tu saisis pourquoi on appelle ça le Cuvon ?

Un coup d'œil suffit au grimpeur, qui frissonna, comme si on venait de lui givrer le cœur. Cernant les ravines à perte de vue, il ne vit que des falaises blanchâtres, aux parois vertigineuses, infranchissables. Voilà ce qu'était le Cuvon. Un énorme cul-de-basse-fosse ! À moins de se faire pousser les ailes, il n'y avait pas l'ombre d'une chance de s'extirper de ce trou à Bbroins !

Les Bougres n'avaient aucun passé. Ils n'avaient pas non plus beaucoup d'avenir.

CHAPITRE 9

COMME ACHILLE BOUZOUK ÉTAIT UN JEUNE HOMME PLEIN d'allant, il ne perdit pas de temps. Le soir même, à la veillée, il raconta à ses nouveaux compagnons son histoire. Du moins ce qui restait de son peu de mémoire. Le plus ancien souvenir que lui avait laissé M'mandragore était une galopade dans une plaine battue par le vesse, juste avant sa capture par les Poufs.

Il n'omit rien, et, par souci de vérité, alla jusqu'à avouer que Bouzouk n'était pas son vrai nom.

Les Bougres l'écoutèrent comme on écoute un conteur près du feu, avec des yeux ronds, bâillant, rêvaillant. À la fin, ils battirent des mains et en redemandèrent. Cette histoire de M'mandragore à bouche bleue leur semblait une bien belle calembourre. Cuculle trouva que le tout-nu plein d'habits avait une langue à jolis mots.

– Encore, Bouzouk, encore, supplia-t-elle.

Mais cette fois, Achille leur expliqua d'où ils venaient, eux. Les Bougres se tapèrent d'abord le cul par terre, en hurlant de rire. Puis, comme Achille insistait, aussi sérieux qu'un pisse-vinaigre, on le traita de langue à glu, de bourreur de mou. Eux, des sans-mémoire ? Des têtes vidées ? C'était grotesque ! Graine-de-Rien, toujours cruel, proposa de lui coudre la bouche en représailles. Même Bel-Essaim se mit de la partie en disant qu'il avait la tronche plus mignarde que la cervelle.

Ganachon, qui vivait ici depuis une éternité, bien avant l'arrivée du premier tout-nu, vint au secours d'Achille.

– Voilà longtemps que je n'ai rien entendu d'aussi excitant, dit-il. N'êtes-vous pas lassés, Bougres, de vos certitudes ? Vous suffit-il de n'être que les enfants du Bouchard ?

On protesta, on piailla à qui mieux mieux. De quoi se mêlait ce gros canasson jaune ? braillait-on. Qu'il aille brouter son foin ! Les tout-nus, vêtus ou non, étaient affaire de Bougres !

Bouffe-Bœuf observait Achille à la dérobée, pensif. Quelque chose lui disait que ce rouquin disait la vérité. Il fit taire tout le monde d'un geste, et déclara que le clan ne perdrait rien à écouter le jeune homme. À ceux qui grinchaient encore, il menaça d'accrocher une clochette au cou afin que le Krabousse les repérât plus vite.

Bouzouk expliqua alors en long et en large qu'il fallait, un, trouver le moyen de sortir du Cuvon, deux, débusquer M'mandragore et ses fils, trois, les forcer à rendre aux Bougres tous leurs souvenirs d'avant la gore.

Une nouvelle fois, Ganachon approuva.

– J'aimerais enfin caracoler ailleurs que dans ce fichu cul-de-marmite. Je te suis, cavalier.

Les Bougres se grattaient la tête d'un air hébété. Pour des gens sans mémoire, l'évocation même de souvenirs n'avait aucun sens. Seul un tout-nu plein d'habits, un Achille Bouzouk, pouvait prétendre pareilles sornettes !

Il fallut le soutien de Bouffe-Bœuf, qui mit son énorme poids dans la balance, et de longues palabres, pour que les Bougres entendissent ce qu'on leur disait. Enfin le clan vota à main levée. Il fut décidé qu'on suivrait à la lettre le plan d'Achille. Pendant une lune, pas plus. Ensuite, si rien n'était arrivé, on lui botterait le croupion, on le chargerait de nettoyer les latrines du camp et, pour finir, on le rebaptiserait d'un nom plus approprié.

Bel-Essaim penchait pour « Mignard », mais « Langue-à-Glu » avait les faveurs du clan.

Le jeune homme accepta le risque. Comme Ganachon lui offrait son large dos, il l'enfourcha et partit dans les ravines. Avant d'envisager autre chose, Achille voulait s'assurer qu'il n'existât aucun passage possible dans les falaises. Ils mirent un jour entier à faire le tour du Cuvon. Partout les parois de granit étaient abruptes, et les crêtes, tout là-haut, rigoureusement inaccessibles. À son retour au camp, les Bougres avaient le sourire goguenard de ceux qui savent, mais qu'on n'écoute pas.

Achille Bouzouk se mit à réfléchir.

Il commença par éconduire Bel-Essaim, qui commençait à l'étouffer un brin, avec ses caresses et ses mots doux. Puis, assis seul sur un rocher, il médita toute la nuit. Au matin, il avait trouvé la solution.

– Fabriquons une catapulte. L'un de nous y prendra siège et sera jeté sur les crêtes. La corde qu'il nous lancera du haut de la falaise fera le reste.

Bouffe-Bœuf hocha la tête. À condition de ne pas être lui-même l'homme volant, il trouva l'idée plaisante. Les Bougres se mirent donc à construire un engin à l'aide de branches, de cordes, d'osier tressé, selon les plans établis par Achille. On installa la machine au pied de la falaise, sur un monticule de terre. Pustule, le plus léger du clan, et aussi le plus influençable, prit place. On l'avait bâillonné afin de ne pas entendre ses cris de terreur.

Bouffe-Bœuf fit un petit discours où il parla du courage de Pustule, de la chance qu'il avait d'être le premier Bougre à voler, puis il trancha la corde. Le bras de la catapulte fit un arc de cercle parfait et alla s'encastrer dans le sol avec un horrible bruit d'œuf cassé. On s'échina un long moment avant d'en extraire le pauvre Pustule, miraculeusement intact. Dès qu'on lui ôta le bâillon, il se mit à hurler qu'il n'était pas question de faire un second essai et courut se nicher dans sa trouyère.

Achille changea donc de stratégie. Il ordonna qu'on capturât quelques gnours, afin de leur arracher les plumes du croupion. Après quoi, il suffirait de se les coller sur les bras, et d'apprendre à voler. Les résultats furent très, très, très décevants. Mais les Bougres s'amusèrent beaucoup, à sauter les uns après les autres du haut d'un rocher, et à former tous ensemble un gros tas gluant de résine et de plumes. Bigrepanard ! on ne s'ennuyait pas, avec un tout-nu plein d'habits !

Achille changea donc de stratégie. Pourquoi ne pas utiliser les gnours eux-mêmes ? Il fit fabriquer une petite nacelle de peau, y accrocha quatre cordes qu'il fixa solidement aux pattes de quatre gnours ligotés. On alla dénicher le pauvre Pustule, qu'on traîna par les pieds, tant il était consentant. Puis on l'installa dans la nacelle et on libéra les bêtes.

– À présent, volez, grands gnours ! hurla Achille.

Il fallut dégager le garçon, à coups de gourdin, des oiseaux noirs devenus fous de rage.

Achille changea donc de stratégie. Il décida qu'on allait creuser des trous partout. On finirait bien par tomber sur une rivière souterraine ou quelque chose d'approchant, qui mènerait hors du Cuvon. On creusa. On creusa à la main, à la pelle, à la choure, à l'épouvette. On mit au jour quelques fossiles, un squelette de gruche, des nids de formillions. On déterra même des étrons de dragon, qu'on s'empressa de recouvrir à toute allure, tant ils empestaient.

Mais pas la moindre rivière souterraine.

Chez les Bougres, on commença à murmurer que Bouzouk était un sacré bambochon, mais que ses stratégies ne valaient pas tripette. Il n'y avait plus que Bouffe-Bœuf, Bel-Essaim et Ganachon à y croire encore un peu.

Achille eut alors une idée plus raisonnable : creuser dans la paroi verticale un escalier jusqu'à la crête. Mais cette fois, les Bougres refusèrent d'obéir. Vu la hauteur de la falaise, il eût fallu taillader le granit durant près de sept vies, d'après les calculs de Pense-Bête.

Les jours et les nuits passèrent. La lune s'arrondissait de plus en plus. Certains Bougres attendaient avec impatience qu'elle prenne la forme parfaite d'un œuf de frouille, avides de botter l'arrière-train du tout-nu prétentieux.

Sur son rocher, Achille Bouzouk, en panne de stratégie, réfléchissait toujours. Il trouva la solution à la dernière heure de la dernière nuit, alors que Pustule, Graine-de-Rien et Ventre-à-Terre étaient tapis dans l'ombre, prêts à lui bondir dessus.

– Le Bouchard ! rugit-il. Le Bouchard !

Et il se mit à brailler « Le Bouchard ! Le Bouchard ! » jusqu'à ce que tous les Bougres sortissent de leurs trouyères.

Même Ganachon trotta jusqu'au rocher. Le clan entoura Achille, aussi excité qu'un skonj au printemps.

– Quoi, le Bouchard ? grogna Bouffe-Bœuf.

Le jeune homme prit son temps, les dévisageant l'un après l'autre, puis il dit, d'un ton énigmatique :

– Puisqu'il nous a crachés, il nous ravalera.

L'ANNONCE D'ACHILLE PROVOQUA UN SILENCE ATTERRÉ, que Bouffe-Bœuf rompit d'une claque sonore sur sa cuisse.

– Bouzouk, tu parles d'or !

Jamais il n'aurait imaginé que le Bouchard puisse servir à autre chose qu'à vomir des tout-nus ! Mais la chose lui parut soudain lumineuse. Par Gozar ! Si on pouvait en sortir, on pouvait y entrer !

– On n'a pas le droit ! brama Graine-de-Rien. Les dieux vont nous grondiner !

Ventre-à-Terre en rajouta une louche :

– Tu vas contre leur loi, Bouzouk !

Achille agrippa les deux Bougres par les oreilles et fit tinter les deux têtes l'une contre l'autre. Ce qui fit un bruit de fiole vide.

– Par Zout le Pleutre ! s'emporta-t-il. La loi, c'est nous ! Les dieux ont autre chose à fourailler que les fourmilles d'un Cuvon ! Pensez-y, sacs à crottes !

Pour couper court, Bouffe-Bœuf se mit à hurler :

– Tous au Bouchard, les Bougres ! On s'enalle d'ici !

Le clan se dispersa comme un vol de frouilles, qui vers le camp, qui vers les trouyères. Chacun avait deux ou trois trésors à emporter.

– Je suis trop lourd pour être des vôtres, cavalier.

À côté d'Achille, Ganachon avait l'œil humide. Le jeune homme tapota l'encolure du cheval.

– Fais-moi confiance, mon ami. Je trouverai une solution.

Les Bougres étaient déjà de retour, besace à l'épaule. Même les plus sceptiques avaient hâte de partir, à présent.

Achille et Bel-Essaim montèrent sur Ganachon et le clan se dirigea vers le Bouchard, sous une lune parfaitement ronde. Pendant le court trajet, personne ne parla. Tous avaient la gorge tire-bouchonnée. Même s'ils n'y croyaient pas vraiment, l'idée de quitter cet endroit où ils avaient l'impression d'être nés les bouleversait.

Ils arrivèrent devant le Bouchard à l'instant précis où la lune disparaissait sous une frange de nuages gris. Mauvais signe, songea Bouffe-Bœuf.

Ils restèrent un long moment à fixer l'orifice sombre, aussi accueillant que la gueule béante d'une goutre. Puis ils ramassèrent des branches mortes et les enduisirent de résine. On aurait besoin de torches, dans le boyau. C'était aussi un moyen de retarder encore un peu le départ ; qui sait ce qui les attendait dans le ventre de la falaise ? Achille Bouzouk pressa le mouvement. Lui aussi avait un mauvais pressentiment.

Ce fut Ganachon qui donna l'alerte. À la suite d'un brusque coup de vent, il dressa la tête, huma plusieurs fois l'air et dit :

– Ça pue le Krabousse, par ici. Et il n'est pas loin.

Il était même à deux pas. Dans un énorme grouillement de branches cassées et de galets écrabouillés, le dragon surgit à quelques pas des Bougres, leur barrant toute fuite.

Il les guettait depuis le début de la nuit. Grâce aux bavardages des gnours, il avait appris que les Bougres cherchaient à quitter le Cuvon. Et il pensait, comme Achille, que le Bouchard constituait la seule issue. Il s'était donc posté dans les fourmilles, contre le vent, afin que nul ne sentît son odeur de charogne. Maintenant ils étaient tous là, acculés contre la falaise. Il allait les gober un par un, ainsi que des œufs frais. Un flot de salive déferla dans sa gueule. Il fit claquer sa gigantesque mâchoire, avec un bruit horrible.

– Enfournez-vous dans le Bouchard, je l'occupe ! hurla Bouffe-Bœuf, qui se posta face au Krabousse en faisant force grimaces.

– C'est moi qui l'occupe, Bouffe-Bœuf ! Va avec les autres !

Achille Bouzouk venait de rejoindre le Bougre et agitait les poings comme pour boxer l'adversaire. Le Krabousse regarda avec un certain amusement ces deux criquaillons sautillant à ses pieds. Il lâcha un de ses abominables rots et fondit sur les deux drôles.

Il fut arrêté net par une pluie de projectiles ronds, mous et puants, qui l'aveugla. Ganachon, sa large croupe pointée vers la gueule du Krabousse, venait de tirer une salve de crocrottins. Il recommença une deuxième fois, faisant reculer la bête.

– Disparaissez, vous autres ! Je me charge de cette freluque !

Bouffe-Bœuf et le clan ne se le firent pas dire deux fois. Ils s'engouffrèrent dans le Bouchard à vive allure, en se marchant dessus à qui mieux mieux. Ils furent vite à l'abri. Achille, plaqué contre la paroi, près de l'orifice, hésitait à entrer. Il avait l'impression d'abandonner Ganachon.

–Je serai à la Cascade-Rouge au crépuscule ! dit le cheval. Tu me verras, du haut des crêtes.

Il avait la voix si tranquille que le jeune homme le crut capable de tenir tête au Krabousse.

–N'aie crainte, cavalier ! J'ai rossé cet empapaouteur maintes et maintes fois ! Va-t'en !

Avant de disparaître dans le Bouchard, Achille vit Ganachon larguer une troisième cargaison de crocrottins, qui firent vaciller le Krabousse. Bigrevent ! Ganachon faisait merveille ! Mais que mangeait-il donc pour avoir des crocrottins si volumineux et qui puaient si fort ?

CHAPITRE 11

CEUX QUI CRURENT QUE LE BOUCHARD ALLAIT LES RAMENER vers leur passé en un clin d'œil se trompaient lourdement. La remontée du boyau dura toute la nuit.

Le sol, très pentu, était si glissant qu'on aurait pu le croire badigeonné de miel. On progressait coudée par coudée, et on s'accrochait aux rares aspérités, sous peine de redescendre instantanément. Par endroits, le passage s'élevait presque à la verticale ; pour franchir l'obstacle, les Bougres devaient grimper les uns sur les autres. Quelquefois ils dégringolaient, et c'était alors une fricassée de jambes, de têtes, de bras, qu'il fallait démêler avec mille précautions. Parce qu'il était le plus mastard, Bouffe-Bœuf soutenait toujours la pile des Bougres. Ce jour-là, à recevoir régulièrement le clan sur la tête, le pauvre eut son content de gnons. Tout comme Achille, qui fermait le train.

Faute de résine, les torches s'éteignirent les unes après les autres, les plongeant peu à peu dans l'obscurité totale. Des taupilles rampant dans le ventre d'un gnour ! voilà ce qu'ils étaient. De temps en temps, Bouffe-Bœuf

51

donnait un coup de gueule pour remonter le moral du clan, qui s'effritait dare-dare. Il les traitait de bourdamous, de mange-petit, de culs-crottés, surtout Ventre-à-Terre et Graine-de-Rien, pétochards comme personne, qui gémissaient à pierre fendre.

D'ailleurs ils avaient tous peur, Bouffe-Bœuf et Achille Bouzouk comme les autres. Peur de ce passé inconnu qui allait leur surgir sous le nez. Peur de s'y brûler la cervelle. Peur de M'mandragore et de ses lèvres bleues, de ses trois monstres de fils. Aussi, lorsque Gargouille, qui caracolait en tête, annonça qu'elle apercevait une lueur grisâtre à trente coudées au-dessus d'elle, la panique fut à son comble. Certains demandèrent bruyamment protection aux dieux, d'autres tentèrent de faire machine arrière. Bel-Essaim réclamait son Bouzouk à côté d'elle.

Bouffe-Bœuf fit taire le clan à coups de menaces et de gifles. Ils se regroupèrent tous comme ils purent, la main sur la bouche, pour s'empêcher de crier quand l'effroi les saisirait à la sortie du boyau.

Parce qu'il avait été le dernier à être vomi par le Bouchard, La Grelotte fut autorisé à sortir le premier. Il fut très sensible à ce privilège, tout en s'accrochant désespérément à un rocher en saillie. Le clan tout entier se mit à pousser comme un seul homme et La Grelotte se trouva catapulté hors du trou. On marmonna qu'il ne méritait pas l'honneur qu'on lui faisait et on attendit la suite, qui ne tarda pas.

– Un, Deux ! Regardez ce qui nous revient !

– Mais d'où qu'il sort, ce pousse-pet ?

– Du troupirail, frangins ! Du troupirail !

Les voix des trois frères suaient la stupeur. Achille jugea que le moment était propice et bondit dans la grotte, suivi par tout le clan, qui hurlait pour ne pas avoir peur.

Propice, le moment l'était : Un, Deux et Trois étaient nus, assis dans un grand baquet de bois où, comme à chaque pleine lune, ils prenaient un bain. Ce groupe de braillards noirauds débouchant du troupirail dont jamais, jamais personne n'était sorti, les figea soudain dans une sorte d'hébétude. Ils glissèrent lentement dans l'eau, les yeux hagards, et les Bougres n'eurent qu'à cueillir leurs six oreilles entre le pouce et l'index.

Ainsi nus, ils avaient l'air de trois bambins inoffensifs. Leur peau était molle, alanguie par le bain. Bouffe-Bœuf n'arrivait pas à croire qu'il avait devant lui des pilleurs de mémoire. Alignés contre un mur, les mains en coquille sur leur bas-ventre, Un et Deux se mirent à pleurnichailler. Quant à Trois, il marmonnait sans arrêt : « M'man va pas être contente... »

M'mandragore, justement. Où était-elle ? Son siège était vide mais son épouvantable odeur flottait dans l'air. Une odeur de patchouli puant dont se souvenait parfaitement Achille, pour l'avoir reniflée de très près.

Il suivit les effluves, épais, presque compacts. Ils menaient dans le gorail. Vautrée sur le dos, M'mandragore gisait au milieu d'un parterre de fourrures. Ses grosses lèvres bleues épanouies dans un sourire béat. L'énorme corps, totalement flasque, paraissait répandu sur le sol. Elle ronflait doucement.

M'mandragore était ivre. D'une ivresse lourde, pleine d'images, de senteurs et de mots. Quelques grimoires gisaient sur les peaux de bête. Elle en tenait encore un à la main, ouvert, qu'elle n'avait manifestement pas eu le temps d'achever.

Au-dessus d'elle, sur les étagères du gorail, des centaines de grimoires luisaient dans la pénombre. Achille s'approcha, la gorge sèche. Sur chacun était collée une petite étiquette, noircie d'une inscription. Un nom de famille, suivi d'un chiffre.

Peut-être allait-il y découvrir le sien.

CHAPITRE 12

IL FALLUT ATTENDRE TOUTE LA SAINTE JOURNÉE QUE M'mandragore émergeât enfin de sa ronflée. Achille Bouzouk et les Bougres rongeaient leur frein, mais ils n'avaient pas perdu leur temps. Un, Deux et Trois leur avaient décrit la gore dans le détail.

Cela ne datait pas d'hier. Très exactement du jour où M'mandragore, après une nuit de beuverie, s'était réveillée la tête pleine de souvenirs inconnus d'elle. Poèmes d'amour, récits d'aventures haletantes, taille de plumes d'oie, vers de quinze pieds, mots alambiqués, parchemins noircis d'histoires abracadabrantes : une marmelade d'un autre monde ! À côté d'elle, son mari, le vieux scribrouillon Grimo, hébété, bafouillait des phrases incompréhensibles. Au milieu de son crâne il y avait une marque bleuâtre.

M'mandragore venait de pomper tous les souvenirs de son époux et d'accomplir sa première gore.

Un scribrouillon sans mémoire n'est plus qu'une enveloppe vide. Déjà bien vieux et médiocre poète, Grimo devint aussi sénile qu'inutile. Juste une bouche à nourrir. Pour M'mandragore, c'était une bouche en trop. Parce qu'autrefois Grimo lui avait appris à lire et à écrire, elle ne le tua point. Malgré l'insistance de ses trois fils, qui haïssaient ce père à la langue fleurie, eux qui l'avaient si balourde, elle se contenta de s'en débarrasser. Grimo fut vendu à un colporteur du royaume d'Opule, à qui il servit d'écritoire, car il était bossu.

Puis M'mandragore cultiva séance tenante ce don unique, extraordinaire. Elle chargea naturellement ses fils chéris de lui trouver des proies. Ce qu'ils firent avec délices, leur loisir favori étant de nuire à autrui.

Dans les premiers temps, ils assistaient à la scène. À cause des bruits de succion qui ressemblaient à ceux de gorets tétant une truie, Un nomma l'opération la *gore*. La monstrueuse mère devenant la *gorelle*. Puis les frères s'en lassèrent et même trouvèrent la chose répugnante. Quant à M'mandragore, elle y prenait de plus en plus plaisir.

Après la gore, elle consignait la plupart des souvenirs de sa victime dans de petits grimoires, d'une écriture penchée. Elle usait d'une plume volée jadis à un mage, et du sang de sorcelle, une encre aux puissants pouvoirs. Tout souvenir retenu était précis comme une marque au fer rouge. Chaque gore produisait toujours un ensemble de quatre grimoires, que M'mandragore appelait Mémoires. Numérotés de I à IV.

Naturellement, il ne s'agissait pas de banals recopiages de moinillon. Les quatre grimoires avaient des vertus singulières. Quiconque les lisait s'en appropriait le contenu. Si on ne savait pas lire, il suffisait de déchirer les pages et de les avaler. C'était simple, et convenait tout aussi bien au lettré qu'à l'illettré, aux enfants qu'aux vieillards.

Un, Deux et Trois vendaient les grimoires au plus offrant. À des sans-mémoire, à des raconteurs d'histoires, à des vieillards en mal de souvenirs, à des plumitifs sans imagination, à ceux qui voulaient changer de passé. Et même à des colporteurs d'Opule, friands de nouveautés. Depuis quelques lunes, Roupillon et ses Poufs s'étaient mis de la partie et chassaient pour les frères. Ce petit commerce singulier rapportait bon an mal an trente mille ducons d'or. De quoi rêver de puissance et de gloire.

– Bouffe-Bœuf! Bouzouk! M'mandragore bouge!

Cuculle, qu'on avait chargée de surveiller le monstre, venait de débouler dans la grande salle, où Achille finissait d'interroger Un, Deux et Trois. Tout le monde se précipita dans le gorail. Effectivement, l'ograsse revenait sur terre.

D'abord sa bouche perdit son sourire, ses paupières papillonnèrent, puis elle émit quelques grognements de satisfaction, avant d'ouvrir les yeux. Comme ce qu'elle aperçut ne lui plut pas, elle les referma. Sans doute n'était-ce que des lambeaux de souvenirs flottant devant elle.

– On va pas t'attendre une lune, grosse ventouse! hurla Bouffe-Bœuf.

Cette fois M'mandragore garda les yeux ouverts. Qui étaient ces freux à tête de pouaque rangés en cercle autour d'elle? Des fripouillards? Des grenuchons? Elle se mit à glapir comme un skonj qu'on égorge.

– Un! Deux! Trois! On m'assaille, mes marmotins!

Achille Bouzouk sauta sur le ventre flasque et lui souffla dans le nez.

– On va même t'escagacher en rondelles si tu ne nous rends pas nos noms, boularde! Nos souvenirs d'avant! Nos vies que tu as volées avec ton groin de truie!

M'mandragore reconnut avec effroi le chérubin à la mémoire grasse. Elle comprit soudain qui étaient ces faces grimaçantes et sut que son règne était en grand danger. Son corps énorme parut s'affaisser et, la voix chuintante, elle siffla :

– Vous n'allez pas être contents, mes pistounets... Pas contents du tout.

– Nos souvenirs, grondasse ! C'est tout ce qu'on te demande ! tonna Bouffe-Bœuf en rejoignant Achille sur le bedon de la matrone.

M'mandragore montra d'un geste tremblotant les étagères du gorail.

– Tout ce qui reste est là.

– Ce qui reste ? grogna Bouffe-Bœuf.

– Quelques-uns sont partis aux quatre coins du pays. Vendus à qui en voulait ! Parfois même, je m'en suis gobergé, j'avoue. C'est que vos souvenirs sont exquis, mes trésors !

Il y eut un silence pesant. Les Bougres se regardaient, abasourdis.

– Mais régalez-vous avec le solde ! continua M'mandragore. Il y a là de quoi se refaire un passé ! Toi ! dit-elle à Graine-de-Rien. Vois ces grimoires, ce sont les tiens ! Et pour le gros pansu, ces quatre-là ! Prenez ! Prenez, mes bons !

L'un après l'autre, elle désigna à chacun ses Mémoires, ou ce qu'il en restait. Les Bougres, d'abord hésitants, se jetèrent sur leurs grimoires et les serrèrent contre leur cœur, dans l'attente du mode d'emploi. Il n'y avait que Bouffe-Bœuf à lorgner les siens avec méfiance. Cette effroyable M'mandragore pouvait fort bien leur conter n'importe quoi.

– Les miens ! Où sont les miens ? dit Achille d'une voix blanche.

M'mandragore eut un mauvais sourire.

– Ceux-là, j'ai eu du mal à m'en séparer, angelot. Ils me plaisaient tant. Mais le commerce est le commerce. Un les a tous vendus à prix d'or.

– À qui ? hurla le jeune homme. À qui donc, dragonne ?

– Je l'ignore, chérubin. Mes trois marmotins ne gardent aucune mémoire des gens qu'ils rencontrent.

Il fallut beaucoup de contrôle à Achille pour ne pas crever les yeux de la matrone, ou lui couper la langue. Il ravala une irrésistible envie de pleurer. Bel-Essaim lui entoura les épaules de ses bras et tenta de le consoler.

– À quoi sert d'avoir un passé, mignard ? C'est l'avenir qui compte ! Droit devant, l'horizon !

Le jeune homme ne l'écoutait pas. Une sensation de néant lui embrumait le crâne. Comme s'il venait de subir une nouvelle fois la gore. C'était vertigineux.

Mais les Bougres n'avaient que faire des états d'âme d'Achille.

– Qu'est-ce qu'on fait des grimoires, drôlesse ? rugirent en chœur Graine-de-Rien et Ventre-à-Terre.

– Lisez-les, mes pistounets ! Lisez-les ou gobez-les et la mémoire vous reviendra à grand trot !

C'était donc aussi simplet que ça ! Dans un brouhaha infernal, les Bougres lurent ou mâchèrent les pages de leurs grimoires à belles dents, trépignant à l'idée de redevenir ce qu'ils avaient été. Tous sauf Bouffe-Bœuf, toujours méfiant, et Bel-Essaim pendue au cou de son Bouzouk déprimé. M'mandragore les encourageait pourtant à grands cris.

– Lis, mastard ! Lis, ma belle ! Et partagez avec le pauvre chérubin ! Même les souvenirs des autres sont bons à prendre !

– Ça vient ! s'égosilla Cuculle. J'ai l'enfance qui me remonte au gousier !

– Ma cervelle s'emplit de batailles et de guerre ! Ça cliquaille dru !

– Je m'appelle Anguille Taillafer ! Regardez-moi, je suis barbier à la cour du Kron !

Les cris enjoués fusaient de toutes parts. Des noms, des souvenirs, des visages retrouvés. Les Bougres gloussaient de contentement ! Comme il était bon de se sentir quelqu'un ! La Grelotte redevenait soldard, Gargouille sage-femme, Pense-Bête compte-culasse. Les uns retrouvaient l'image d'une femme ou d'un mari, d'autres celle de fils ou de frères chéris. Bouffe-Bœuf allait consentir à avaler les siennes, lorsque Traîne-Souche, de sa grosse voix ronflante, lança :

– Quelqu'un aurait un miroir ? Je veux un miroir.

Les Bougres cessèrent leur charivari et lorgnèrent le bonhomme de plus près. Traîne-Souche se dandinait le croupion et lissait à pleines mains une tignasse imaginaire, lui qui était chauve comme un galet.

Aux questions inquiètes que Bouffe-Bœuf lui posa, il répondit qu'il se nommait Isabelle et qu'il était couturière chez le prince Zonzon. On rit jaune. Mais lorsque le jeune Pustule prétendit qu'il avait six petits-enfants, une terrible angoisse balaya le clan.

C'était M'mandragore qui riait dans son coin, à présent.

– Par Zout le Mou ! s'étouffa Achille Bouzouk. La crapaude a mélangé tous les souvenirs !

CE QUI AURAIT PU ÊTRE UNE FÊTE JOYEUSE S'ACHEVAIT EN jus de purin. Pendant quelques instants, il flotta dans le gorail un air d'épouvante. Les Dougres n'osaient pas se regarder, ni se parler. Il n'y avait plus dans la pièce que les gloussements de M'mandragore, comme des petites vagues noires et cruelles. Achille Bouzouk était pétrifié, le visage plus livide qu'un suaire. Bel-Essaim sanglotait à gros bouillons.

C'est Bouffe-Bœuf qui réagit le premier. Il attrapa à pleines mains les triples mentons de M'mandragore et tonna qu'il allait lui découper les bajoues si elle ne trouvait pas sur-le-champ une solution.

L'ograsse répondit qu'elle n'avait pas pouvoir de défaire la magie des grimoires. Ni elle ni personne.

M'mandragore disait vrai. Au mieux, il suffisait de lire quatre grimoires pour retrouver toute sa mémoire et son identité. Mais s'il s'agissait de souvenirs qui ne lui appartenaient pas, le lecteur devenait irrémédiablement quelqu'un d'autre. À moins de se contenter de quelques pages, ou d'un seul grimoire, ce qui ne portait pas à conséquence. Quant à M'mandragore, elle pouvait gober sans risque tous les grimoires qu'elle voulait, puisqu'elle les avait écrits de sa main.

La pire des choses était de lire d'un coup quatre grimoires ayant appartenu à quatre personnes différentes, auquel cas on perdait la raison. Mais cela, M'mandragore le garda pour elle. Seuls les initiés étaient au courant, ainsi que les clients, bien entendu.

En attendant, elle avait joué à ces niquedouilles un tour pendable ! Imparable ! Car comment reconnaître des souvenirs dont on ne se rappelle pas la moindre miette ? Certes, il y avait les étiquettes, sur les grimoires, mais encore fallait-il identifier son nom. Un nom qui s'était envolé avec le reste. La seule à savoir était M'mandragore. Et elle venait de commettre l'irréparable en faisant avaler aux Bougres des grimoires qui n'étaient pas les leurs.

Cette poignée de sacs à crottes ne méritait pas mieux ! songeait-elle. Seul ce damné rouquin avait eu droit à la vérité : ne pas retrouver son passé était pour lui le pire des châtiments, M'mandragore l'avait vite compris. Bien pire que d'endosser le passé d'un autre. Par Ggrok ! puisqu'il avait pris la tête de la rébellion, il fallait bien qu'il paye ! Et cher !

Oui, M'mandragore avait réussi là une bien belle farce, même si c'était sa dernière.

À part Bel-Essaim, Bouffe-Bœuf et Achille Bouzouk, ceux du clan étaient désormais habités par d'autres. Il leur faudrait bien s'en accommoder pour le reste de leur existence.

Chacun aurait pu disparaître, à présent qu'il n'était plus un Bougre, et filer avec sa nouvelle identité. Cependant, personne ne le fit. Quelque chose les liait encore fortement qui durerait longtemps. Ils se regardaient tous, attendant un signe qui ne venait pas.

Bouffe-Bœuf reposa ses grimoires avec dégoût. Quels souvenirs avait-il bien failli avaler ? Ceux d'une dentellière, peut-être ? Ceux d'un fripouillard ?

– Où sont mes grimoires, vieille grenuche ? Et ceux de Bel-Essaim ?

Il venait d'agripper le nez de M'mandragore et le tortillait violemment.

– Laisse, dit Achille, qui émergeait seulement de sa torpeur. Quelle confiance peux-tu lui accorder ? Elle est capable de te changer en tranche-gigot ou en danseuse du ventre, si tu l'écoutes.

Bouffe-Bœuf opina du chef Méfiance. Mais il avait un plan de rechange. Il galopa jusqu'aux trois frères, ficelés comme des rôtis, et les traîna jusqu'au gorail. En voyant ses fils, M'mandragore poussa un grognement plaintif.

– Laisse mes mouflons, gredard !

Bouffe-Bœuf ignora la remarque. Il alla faire provision de grimoires sur les étagères, au hasard. Puis il se campa devant Un, Deux et Trois, arracha quelques pages, les froissa menu.

– Maintenant, les trois bouffons, vous allez m'avaler ça !

M'mandragore avait compris la manœuvre depuis un moment. Elle était devenue pourpre, ouvrait et refermait ses grosses lèvres bleues. Ses oreilles fumassaient, elle étouffait.

– Alors, grondasse... commença Bouffe-Bœuf.

Il n'eut pas le temps de terminer sa phrase. L'énorme masse venait de s'arracher à la pesanteur. Vacillant comme une montagne de gelée tremblotante, elle alla percuter le Bougre. D'un revers de bras, elle repoussa les assauts des autres et emporta ses trois enfants dans la grande salle. Elle cahotait sur le sol, vacillait, renversait tout sur son passage.

Personne ne put empêcher l'ograsse de parvenir jusqu'au troupirail, dans lequel elle enfourna ses trois enfants, malgré leurs hurlements de terreur. Puis elle fit rouler une énorme pierre qu'elle coinça dans l'orifice, empêchant tout à la fois ses fils de remonter et quiconque de les atteindre. Enfin elle s'écroula, pantelante, à bout de forces.

– Vous ne me les volerez pas. Ils sont à moi, mes marmotins, murmura-t-elle.

Bouffe-Bœuf avait gravement mésestimé la force d'une mère. Elle avait réussi à se lever, à marcher, empêtrée qu'elle était dans son enveloppe de graisse. À la voir effondrée sur le sol, cramoisie, ruisselante de sueur, Achille songea que c'était sans doute la dernière fois. Elle ne survivrait pas à un second exercice du genre.

Les Bougres se massèrent autour d'elle, menaçants. Ils grondaient sourdement, à deux doigts de la fendre par le milieu, comme un poisson pêché. Graine-de-Rien parla de la faire cuire dans un bain d'eau bouillante, de verser du plomb fondu dans sa bouche. Achille s'interposa. En balançant ses fils dans le Bouchard, M'mandragore venait de payer lourdement ses crimes. Elle connaissait l'existence du Krabousse. La fureur vengeresse des Bougres était donc aussi stupide qu'inutile. D'ailleurs le jeune homme avait un rendez-vous qu'il ne voulait pas manquer.

Il ordonna qu'on construisît un traîneau assez solide pour déplacer M'mandragore. Ce qui fut fait en un tournemain car Pustule avait hérité des souvenirs d'un vieux charpentier et il était d'une habileté diabolique. Puis les Bougres y hissèrent le monstre. Ce fut une rude tâche de grutier. Aussi inerte qu'une outre molle, M'mandragore se laissa faire, comme si cela ne la concernait plus. Ses yeux larmoyants étaient vides, ses gros bras pendouillaient de chaque côté de son ventre.

Il fallut huit Bougres pour la tirer. Mené par Achille Bouzouk et Bouffe-Bœuf, l'équipage rejoignit lentement les crêtes et longea le ravin jusqu'à l'aplomb de la Cascade-Rouge, qui dégringolait à mi-pente vers un chaos de rochers.

Ganachon était là. Lorsque Achille cria joyeusement son nom, le cheval leva la tête et se mit à danser.

On lui balança une interminable corde de chanvre tressée, pour qu'il se la garrotte autour du ventre. Puis on passa la corde autour de la branche basse d'un énorme boabab, qui poussait au bord de la falaise. Enfin on noua la seconde extrémité autour de la taille de M'mandragore, que Bouffe-Bœuf et quelques autres, en ahanant, se chargèrent de balancer dans le vide.

Elle descendit doucement, toujours silencieuse, tandis que le cheval, moins lourd, remontait. La gorelle rejoignait ses fils chéris, Ganachon allait découvrir un autre monde.

Ils se croisèrent sans un mot.

Chapitre 14

Achille Bouzouk et les Bougres restèrent quelque temps dans la grotte de M'mandragore. Une fois Ganachon remonté et le clan enfin au complet, il y eut un moment difficile, où personne ne savait plus qui il était, ce qu'il fichait sur Terre et encore moins ce qu'il allait y faire dans un proche avenir.

Chacun flottait dans un monde qui n'était pas le sien ou, pour Bouffe-Bœuf, Bel-Essaim et Achille, dans un vide intersidéral. Par bonheur Ganachon était un joyeux boute-en-train. Il braillait des chansons à la pelle, se mettait à danser pour un oui pour un non, récitait des poèmes en alexandrins. Parfois, il se lançait dans un récital d'imitations d'oiseaux. C'est sans doute grâce à lui que les Bougres retrouvèrent peu à peu le moral.

Un matin, Bouffe-Bœuf réunit le clan et posa la question que personne n'avait encore osé formuler : allaient-ils rester ensemble ou se séparer ? Achille ne s'intéressa à la chose que d'une oreille distraite. Il avait fait son choix depuis fort longtemps.

Les Bougres discutaillèrent à tire-larigot. Ils discutaillèrent même tant et tant qu'à la fin personne ne savait plus de quoi on parlait. On vota donc. Il fut décidé que chacun irait où bon lui semble, avec qui il voudrait, et quand il le désirerait. « Et pour faire ce que bon lui semblera ! » ajouta Pense-Bête.

Ce qui était somme toute assez raisonnable.

Tout le monde prépara son baluchon. Excepté Bouffe-Bœuf et Bel-Essaim, les Bougres choisirent de voyager ensemble. Écartelés qu'ils étaient entre un passé disparu et un avenir qui ne leur appartenait pas, c'était sans doute la meilleure solution.

Le lendemain matin, à l'aube, ils partirent vers l'ouest, car la lueur du ciel, à l'est, les effrayait. Il leur sembla que, marchant vers la pénombre, ils tournaient le dos à l'avenir, que chacun redoutait.

Achille, Ganachon et les deux derniers Bougres agitèrent longtemps leur mouche-nez. Lorsque la petite troupe eut disparu et que le nuage de poussière fut retombé, les quatre amis restèrent immobiles, à fixer l'horizon sombre encore. Comme pour faire durer cet instant d'éternité qu'est toujours un départ. Puis ils rentrèrent dans la grotte pour préparer le leur.

Ils ne s'étaient pas encore concertés. Mais il était clair pour Bel-Essaim qu'elle partirait avec Achille, pour qui son cœur s'était embrasé. Et nul doute pour Bouffe-Bœuf qu'il allait chevaucher Ganachon et parcourir le vaste monde sur son dos. Ils se trompaient tous les deux.

Achille Bouzouk décida de partir seul. Ganachon offrit de l'accompagner, et même de lui servir de destrier le temps qu'il lui plairait. C'était sans doute la première fois qu'un cheval choisissait son cavalier. Le jeune homme en fut flatté.

Il consola Bel-Essaim comme il put. En entendant sa décision, elle avait poussé un cri de dépit et couru cacher son chagrin au fond de la grotte. Achille lui expliqua qu'il lui fallait être seul pour retrouver son identité, que personne ne pouvait l'aider, même elle. Il ajouta qu'elle méritait mieux qu'un criquaillon de son espèce. Les sanglots de la belle redoublèrent.

– Je n'aimerai jamais que toi, mignard ! balbutiat-elle.

Achille Bouzouk était ému. Il la prit dans ses bras, la berça, lui baisa le front, alors qu'elle lui tendait ses lèvres. Il se sentait terriblement ingrat de ne pas aimer Bel-Essaim, elle qui lui avait sauvé la vie. Mais voilà : s'il l'aimait beaucoup, il ne l'aimait pas d'amour. Il le lui avoua, avec les mots les plus doux qui fussent.

Quand il vit la tournure des événements, Bouffe-Bœuf fit mine de s'en prendre à Ganachon pour une peccadille imaginaire ; il le traita de chanteur d'opérette, de bavottard, d'hurluberlu empanachouillé et autres gentillesses. L'autre répliqua, jouant le jeu. Bientôt la grotte retentit d'insultes fleuries, de « Môssieur Bouffe-Bœuf, vous me chouchougnez les esgourdailles ! », ou de « Va donc meugler ailleurs, face de baribou ! »

Bel-Essaim s'en amusa, le rire sécha ses larmes. Et quand Achille s'en mêla, lançant des « Paix, poussepets ! » à l'un, des « Tais-toi donc, grabedon ! » à l'autre, la jeune femme avait oublié son chagrin. Tout au moins eut-elle le courage de faire semblant. Les deux querelleurs cessèrent sur-le-champ leur rixe et Ganachon proposa à Bel-Essaim de la promener sur son dos une dernière fois. Achille et Bouffe-Bœuf avaient quelques tâches à accomplir avant de quitter les lieux.

D'abord mettre en lieu sûr les dizaines de grimoires restés dans le gorail, afin qu'ils ne tombassent pas entre des mains venimeuses. Bien sûr Bouffe-Bœuf songea que ses souvenirs étaient peut-être parmi eux. Mais comment savoir ? Ils empilèrent les livres dans une des nombreuses niches de la grotte, et la murèrent à l'argile. La cachette était parfaitement invisible.

Puis ils maçonnèrent définitivement l'entrée du Bouchard, que M'mandragore avait déjà obstruée d'une pierre. Lorsque la dernière faille fut bouchée de bon ciment frais, ils se sentirent mieux. Un, Deux, Trois et leur monstrueuse mère étaient dispensés de revenir au monde. Le Krabousse trouverait peut-être à son goût ces nouvelles proies.

Bel-Essaim revint de sa promenade sur Ganachon. Elle était rêveuse, mais ne pleurait plus. Ganachon chanta une ultime chanson :

Quand l'automne résonne vient le temps des adieux
Si mon cœur t'abandonne sèche tes jolis yeux
Viendra un cavalier plus mignard, plus tendron
Et vous vous aimerez au milieu des dindrons

Puis ils se séparèrent. Bouffe-Bœuf et Bel-Essaim partirent vers le nord, Ganachon et Achille Bouzouk vers le sud.

Deuxième partie

Les grimoires perdus

CHAPITRE 1

VOILÀ DEUX JOURS ET UNE NUIT QU'HOMME ET BÊTE voyageaient de conserve. Parfois le cavalier chevauchait sa monture, parfois ils marchaient épaule contre épaule. Leur allure était paisible, puisqu'ils n'allaient nulle part. Ils trottaient au gré de leur fantaisie, bifurquant par ici, poussant par là, s'engageaient au petit bonheur dans des forêts, des plaines, des gorges profondes.

Achille Bouzouk attendait un signe de son destin.

Croisant un colporteur, ils surent qu'ils arpentaient le pays des Kronouailles. L'homme les prévint vigoureusement : qu'ils rebroussent chemin sur-le-champ ! Quelques pas de plus et ce serait le désert de Fouk-Fou. Surtout, surtout, qu'ils renoncent ! Fouk-Fou était pire que les mille braseros de Mmolloche que les Bbroins attisent. Fouk-Fou était le cauchemar des voyageurs.

Ce désert, bien qu'il fût de sable, comme tout désert ordinaire, était constellé de terriers de babugles ! Des petits monstres sanguinaires ! Des rognures hérissées de dents !

Chaque pas devait être mesuré au plus juste. En aucun cas l'imprudent voyageur ne devait mettre le pied dans un de ces orifices affleurant la surface ; il en aurait retiré à coup sûr un moignon sanglant. Au mieux se serait-il fait croquer un ou deux orteils. Le gros de préférence, car les babugles raffolaient de chair fraîche : elles happaient tout ce qui passait à leur portée, bête, homme ou plante. Le colporteur raconta qu'un jour le désert de Fouk-Fou avait fourmillé de leurs gueules ouvertes, dressées vers le ciel comme cent mille gargouilles fauves, parce qu'il pleuvait des gongombres.

Un tel tableau eût découragé n'importe quel promeneur. Pas nos deux héros, qui suivirent leur route et franchirent le seuil du désert de Fouk-Fou.

Achille, la main en visière sur les yeux, contempla ce lieu maudit entre tous avec une certaine fascination.

– On tente le coup, Ganachon ?

Le cheval opina du bonnet. Son instinct lui disait qu'ils en sortiraient vivants. Il trouva vite une solution pour éviter les trous : marcher sur les pattes de derrière, en posant chaque sabot avec précaution. Ainsi divisait-il par deux les chances de s'enfoncer dans un des terriers. Dans ces conditions, impossible pour le cavalier de se tenir en croupe. Achille Bouzouk avança donc sur la pointe des pieds, tout aussi prudemment. Ils étaient comme deux funambules au-dessus du vide. Ajoutons que le sol était friable et pouvait s'effondrer à tout instant.

Cette course infiniment lente et pénible dura un long, un très long moment. Ganachon parfois laissait échapper un juron, sentant qu'un de ses sabots glissait, ou qu'il perdait l'équilibre. Mais Gozar, le dieu des dieux, permit que tout se passât admirablement. Nulle babugle ne pointa son horrible groin au passage des deux voyageurs.

Soudain, devant eux, l'horizon se couvrit d'un nuage noir, bruissant, coassant, piaillant. Les gnours ! Le colporteur les avait évoqués. Grands amateurs de babugles, ils ratissaient régulièrement le désert pour en festoyer. Ils volaient en masse compacte, à ras du sol, le bec pointé vers les trous, guettant le moindre éclair fauve. Cheval et cavalier allaient être balayés comme grains de blute !

Pris en tenaille entre les gnours et les babugles ! Entre le ciel et la terre. Cela signifiait-il que la Vie n'était qu'une stupide impasse où l'Homme est broyé par les hasards contraires ? songeait amèrement Achille Bouzouk, philosophe à ses heures.

Une riposte par oroorottins était impensable, les gnours étant trop nombreux. Les haranguer pour qu'ils les épargnassent n'aurait servi à rien car les gnours sont sourds comme des pots, lorsqu'ils criaillent par milliers. Quant à entamer des pourparlers avec les babugles afin qu'ils pussent s'enfouir sous terre sans être grignotés, soyons sérieux. D'ailleurs ni Ganachon ni Achille Bouzouk ne parlait le babugle.

La situation était désespérée. Achille adressa son âme à Zout le Poltron et Ganachon songea aux enfants qu'il n'aurait jamais. Puis il s'assit lourdement sur le sable, face à l'armée des gnours.

Il y eut un grand craquement et le sol s'effondra sous son poids, engloutissant Achille par la même occasion. Ils tombèrent quelques coudées plus bas, dans une des galeries creusées par les babugles, en hurlant qu'ils n'étaient comestibles ni l'un ni l'autre.

La seconde suivante, les gnours étaient là. Ils sentirent au-dessus de leurs têtes le souffle violent du nuage noirâtre.

Pendant un moment, leurs tympans bourdonnèrent des épouvantables vociférations.

Puis le calme revint. Le plus extraordinaire était qu'aucune babugle ne les avait assaillis. Mieux, la galerie était vide.

– Y a quelqu'un ? gazouilla Achille d'une voix de fausset.

Le colporteur leur avait pourtant parlé de ce bruit effroyable de mandibules crépitant comme étincelles qui claquent ; de cette curée sans nom qui ne laissait derrière elle ni os, ni chausses, ni chapeau.

Mais le silence était effarant. Les babugles semblaient avoir disparu du désert de Fouk-Fou.

Alors Achille Bouzouk sauta sur le dos de Ganachon et, se hissant hors du trou, ils se remirent en route. Les fesses serrées, cependant. Qui sait si les babugles n'allaient pas surgir entre les sabots de Ganachon ou tomber du ciel. Il n'en fut rien. Bientôt apparurent des chaos de rochers, puis, au loin, des falaises de granit. Ils avaient franchi le désert de Fouk-Fou sans plaie ni bosse.

Cavalier et monture s'engagèrent dans un ravin flanqué de parois abruptes. Ganachon entonna une chanson à boire et Achille se mit à siffloter. La victoire était belle.

– Par ce cul-crotté de Valadingo, allez-vous me foutre la paix avec vos braillardises ! tonna une voix énorme.

Ganachon cessa net son couplet, de même qu'Achille. Allongé sur une corniche au flanc de la falaise, un géant tournait vers eux un visage terrible et broussailleux.

Il avait l'air de fort méchante humeur.

CHAPITRE 2

À FRANCHEMENT PARLER, ACHILLE BOUZOUK EUT UNE frousse phénoménale. Voyant ce colosse à barbe hirsute hurler du haut des cieux, il crut que Gozar, le dieu des dieux, venait de se matérialiser sous ses yeux. Pour le foudroyer, le précipiter dans l'Empire des ombres molles, ou pis encore ! Gozar en avait peut-être plus qu'assez d'entendre Achille traiter Zout, son fils unique, de Zout le Mou, Zout le Couard et autres amabilités.

Le jeune homme sauta donc à terre et se prosterna devant l'apparition. Ganachon tempéra ses ardeurs.

– Relève-toi, cavalier, lui souffla-t-il, je connais cet individu de réputation. C'est le Grand Gourougou, un vieux fou retiré du monde. Je comprends mieux les choses, maintenant.

Achille Bouzouk, lui, ne comprenait rien du tout. Et l'autre, là-haut, continuait à rugir d'une voix d'orage.

– J'ai besoin d'un sommeil de mille ans, entendez-vous, poux d'hibou ?

Il poursuivit ainsi pendant un bon moment, gesticulant, faisant trembler la montagne dans sa juste colère, puis, enfin calmé, sauta d'un bond dans le ravin. Debout, il faisait quatre fois la taille d'Achille Bouzouk. Il se pencha, curieux, vers les deux arrivants. Sa peau était un entrelacs de rides profondes, creusées par d'innombrables hivers. Ses yeux d'un bleu océan disparaissaient presque sous des sourcils touffus comme des fourmilles.

— Je vois, merlutins, que mes mirages ne vous ont pas fait rebrousser chemin ?

— Vos mirages ? bafouilla Achille.

— Le colporteur ! expliqua Ganachon. Les babugles ! Les gnours ! Le désert ! Les trous ! Les galeries ! Des mirages, cavalier ! Le Grand Gourougou est un sage, soit, mais surtout un mage. Il n'y a pas plus de Fouk-Fou que de beurre d'orviétan sur ton crâne !

— Ah ! Ah ! Tu flagornes, canasson, gloussa le vieillard. C'est vrai que je me débrouille bien, question magie. Cependant vous êtes tout de même arrivés jusqu'ici, malgré les obstacles. Par les poils de ma barbe, voilà des lunes et des lunes que je n'avais vu quelqu'un dans ce trou perdu.

Il bâilla longuement en se grattant le nez, puis le dos et les fesses. Il dormait depuis si longtemps qu'il avait oublié combien la lumière du soleil était douce sur sa vieille peau. À la réflexion, il n'était pas si mécontent de l'arrivée de ces deux gaillards. Certes, ils avaient interrompu sa retraite et brisé le silence dans lequel il se complaisait, mais, passé sa colère, il ne leur en voulait plus. S'asseyant sur un gros rocher, il invita les deux autres à en faire autant.

— Narrez donc votre histoire, puisque vous m'avez réveillé.

Achille et Ganachon racontèrent leur voyage au Grand Gourougou, qui les écouta avec attention. Quand

Achille mima la chute de Ganachon dans les galeries des babugles, le vieux géant s'étrangla de rire. Et lorsque le jeune homme, encouragé, parla de M'mandragore, de la gore et du reste, il dressa l'oreille.

Un homme sans mémoire ! Sans passé ! C'était une merveilleuse aubaine ! Il y vit tout de suite de quoi occuper son ennuyeuse retraite. Certes, le Grand Gourougou, ancien mage du Kron, vieux sage parmi les sages, s'était retiré du monde des hommes. Certes, il avait élu domicile sur une corniche, au flanc d'une falaise, conformément à un vœu sacré. Certes, il avait à présent cinq cent trois ans et méritait bien paix et repos. Certes, certes. Mais bigreblouze ! qu'est-ce qu'il s'enquiquinait !

Il prit sur-le-champ Achille Bouzouk en amitié.

– Mon garçon, il m'a toujours manqué un disciple. Tu seras celui-là. Je vais t'apprendre toutes les ficelles du métier. Quand tu partiras d'ici, tu sauras tout ce que je sais. Et tu deviendras quelqu'un, toi qui n'es personne.

Le Grand Gourougou aurait pu conclure d'un : « Qu'en penses-tu ? » ou d'un : « Es-tu d'accord, fiston ? » mais il n'en fit rien. Nul ne s'était jamais avisé de discuter ses décisions.

Il installa Ganachon dans un pâturage grassement herbeux (« À chacun son métier ! » ricana-t-il) et commença l'enseignement sans perdre de temps. D'abord, il apprit à Achille les formules de politesse permettant de s'adresser au Kron, s'il arrivait qu'il fût un jour par bonheur appelé à la cour. La plus courte était « Que Gozar parsème vos pas d'un nuage de pétales parfumés et soyeux » ; mais il y en avait une bonne cinquantaine, dont certaines ronflaient comme des feux de cheminée. Ensuite il lui enseigna les révérences, courbettes et inclinaisons de tête en vigueur à la cour, ainsi que les jurons permis et interdits.

Au bout de la première journée, Achille en savait autant que lui sur la cour du Kron et les mœurs des courtisards.

Le deuxième jour, il lui parla de l'infiniment petit, de l'infiniment grand, de la position des astres, du monde souterrain, du règne animal, végétal et minéral, du pays des Kronouailles. Le Grand Gourougou parlait comme une source qui coule et Achille buvait ses paroles.

Le troisième jour fut consacré à l'étude de la rhétorique – l'art de bien parler – car un mage doit savoir maîtriser sa parole et celle des autres.

Au cours du quatrième jour, le Grand Gourougou initia Achille à la composition des philtres, potions et autres breuvages magiques destinés à tourner la tête aux faibles, aux lâches et aux indécis. Pour les esprits forts, le Grand Gourougou recommandait la marmalade, un poison violent, ou l'arme blanche.

Puis, lors du cinquième jour, Achille apprit à transmuter le plomb en or, le lin en soie, les chrysalides en poupillons. Il sua beaucoup car le Grand Gourougou avait allumé un énorme feu dans lequel il fallait tisonner sans cesse. Le soir du cinquième jour, ils se firent d'ailleurs griller quelques saucisses de groulache.

Enfin, le sixième jour, le Grand Gourougou lui montra tout ce qui fait le sel du métier : les petits tours de passe-passe. Par exemple, faire bouger son nombril ou tirer un tire-bouchon de l'oreille d'un Pouf. Plus mille autres choses plus ou moins utiles mais qui font toujours leur effet. Ainsi respirer sous l'eau, écrire à l'envers, délacer ses chausses sans les mains. Tout cela était simple comme bonjour : il suffisait de remuer le gros orteil pour arriver à ses fins. Rien d'autre.

Le septième jour fut un jour de repos. Achille Bouzouk et le Grand Gourougou flânèrent dans le désert de Fouk-Fou. Se promener ainsi au milieu d'une illusion d'optique fut l'occasion d'une ultime leçon : le mage enseigna à Achille la fabrication des mirages, afin d'abuser les voyageurs. Toujours avec le gros orteil. Le soir, ils allumèrent un feu, burent de l'hydromiel, et Ganachon chanta de vieilles ballades. Puis au cours d'une cérémonie émouvante, le mage déclara qu'il n'avait plus rien à apprendre au jeune homme. Désormais, il y aurait un Grand Gourougou et un Petit Gourougou, ajouta-t-il.

Car tel était le nom que le jeune homme allait devoir porter.

– Et quand le dernier sommeil m'emportera, dans mille ans, tu deviendras le Grand Gourougou, fiston.

CHAPITRE 3

ACHILLE BOUZOUK PASSA ENCORE QUELQUES JOURS EN compagnie du vieux mage, mais il avait déjà pris sa décision. En attendant de retrouver un jour son vrai nom, il resterait Achille Bouzouk. Être le Petit Gourougou ne lui déplaisait pas, mais ce savoir nouveau et merveilleux ne comblait nullement son vide intérieur. Il s'en ouvrit au Grand Gourougou qui hocha la tête tristement.

−Je m'en doutais, mon garçon. Tu as le regard de ceux qui cherchent. Promets-moi seulement de ne jamais abuser de tes pouvoirs ni de les mettre au service de Ggrok, le dieu des Marais-Puants, et de ses âmes damnées, les Bbogues.

Achille promit que non seulement il n'abuserait de rien du tout, mais qu'il n'utiliserait ses pouvoirs qu'en toute dernière extrémité. Du reste, sa quête s'accomplirait à force d'humanité et non de magie, ajouta-t-il. Quant à ce Ggrok, il pourrait bien aller se faire cuire un œuf, lui et toute sa clique de Bbogues !

−Bien parlé, fils, dit le Grand Gourougou. À présent, va voir maître Malebasse de ma part. C'est un des meilleurs charlatans qui soient. Il a soigné plusieurs fois le Kron sans aggraver sa maladie. C'est un franc coquin, comme tous ceux de son espèce, mais il pourra peut-être quelque chose pour ton trou de mémoire.

Puis le mage embrassa affectueusement Achille, et donna une tape amicale sur la croupe de Ganachon. Il remonta sur sa corniche en bâillant. Une longue sieste l'attendait.

– Appelle-moi en cas de besoin. Je serai là dans la seconde suivante ! hurla-t-il.

Achille et Ganachon partirent sans se retourner, la larme à l'œil. À la sortie du ravin, ils prirent un chemin poudreux qui serpentait dans la montagne, comme le mage le leur avait indiqué. Malebasse nichait là-haut tout là-haut très haut, dans un manoir, quelque part au milieu des neiges éternelles. Au pied du glacier de Mange-Morts.

Ganachon ronchonnait. Vu sa longueur et les perpétuels lacets du chemin, il devait serpenter, lui aussi ; sa colonne vertébrale en souffrait. Achille Bouzouk proposa de continuer à pied, sans lui, mais le cheval refusa. Il avait lui aussi quelques questions à poser à Malebasse, notamment sur sa tendance à l'aérophagie.

Les deux compagnons trottinèrent toute une grande journée. Le sentier n'était plus qu'un mince ruban au flanc de la montagne. Au fur et à mesure qu'ils grimpaient, les rares touffes d'herbe se couvraient de givre, le sol durcissait. Parmi les rochers, çà et là, des plaques neigeuses commençaient à apparaître. Le vent glacé sifflait à travers les failles de la paroi. Le soir, il se mit à neiger. On n'y voyait pas à cinq pas.

Achille et Ganachon étaient sur le point de rebrousser chemin lorsqu'ils aperçurent devant eux une silhouette déformée par le brouillard.

– As-tu rendez-vous ? dit une voix nasillarde.

– Non. C'est le Grand Gourougou qui m'envoie.

En face, il y eut une série de jurons inaudibles.

– Par Esculope ! Maudits soient ces clients qui usent et abusent de passe-droits !

Il marmonna encore quelques mots malveillants sur tous les Grands Gourougous passés, présents et à venir, puis cria qu'on le suive.

– Êtes-vous Malebasse ? s'inquiéta Achille.

– Qui veux-tu que je sois, incrédule ? Le géant d'Origan ?

Amer, le bonhomme. Et, semblait-il, avec raison. Lorsqu'il passa sous la torchère qui éclairait l'entrée du manoir, il apparut tel qu'il était : court sur pattes, bossu, ventru, boiteux, les mollets aussi épais que des polochons. Il n'avait qu'un œil et ses oreilles ressemblaient à deux poupillons collés de part et d'autre de son crâne. Le brouillard n'était pour rien dans son aspect difforme. Le pauvre hère était en outre affligé d'une odeur de poiscaille.

Se pouvait-il qu'un nabot pareillement bancal prétendît soigner les gens ? C'était comme si un rhumoppotame voulait apprendre à voler à une libellule…

L'intérieur du manoir était aussi gelé que le reste. Partout des stalactites de glace, des murs blancs de givre. Les couloirs bruissaient du même vent froid. Ils pénétrèrent dans une petite pièce sombre. Malebasse se hissa sur un fauteuil, derrière un immense bureau, et dit avec lassitude :

– De quoi souffrez-vous, voyageur ? Toussote ? Rubécole ? Agrippe ? Scrofules ? Bubons noirauds ? Lentes ?

– Gore.

Malebasse eut un haut-le-cœur. Une victime de la gore ! Par Hippocrote ! C'était la première fois qu'il en tenait une. M'mandragore était une vieille connaissance, et il n'ignorait rien du trafic de grimoires, auquel il se mêlait de temps à autre. Cependant, jamais les victimes de M'mandragore ne réapparaissaient. C'était un véritable miracle d'en tenir une ! Il songea à toutes les expériences qu'il allait pouvoir faire avec le cerveau de ce garçon.

– Gore ? dit-il d'un air distrait. Rien de grave, voyageur.

Il sauta sur le sol et se mit à tourner d'un air gourmand autour de sa proie.

– Il va falloir que je t'examine. Suis-moi.

Ganachon se pencha à l'oreille d'Achille.

– Ce crapoussin ne me dit rien qui vaille, cavalier. Méfie-toi.

Mais Achille n'écoutait déjà plus. Il était dans un état second : celui du malade à qui son médecin vient de promettre une guérison totale, immédiate, et pour pas cher. Les deux hommes disparurent derrière une lourde tenture noire.

Ganachon soupira. Il se demanda pourquoi les murs de la pièce étaient tapissés d'étagères où luisaient des horloges. Des centaines d'horloges, dont chacune marquait une heure différente.

Pour être louche, Malebasse était louche, bigrebosse ! Jamais rien ni personne ne lui avait paru plus louche que cet avorton puant comme une frouille.

ENDORMIR UN JEUNE HOMME SI CONFIANT FUT L'AFFAIRE d'un instant. À présent, Achille était allongé sur un lit de marbre, inerte, à la merci du charlatan. Malebasse se léchait les babines à la pensée de trépaner un crâne pareil ! Il allait enfin savoir à quoi ressemblait un cerveau sans mémoire ! Peut-être était-il lisse et dur tel un œuf de gnour… Ou aussi mou qu'une glumace… L'impatience le faisait trembler. Il claudiqua jusqu'au mur pour y décrocher le gros trépan d'acier, vérifia le tranchant de la vrille.

Quelle aubaine ! Il n'en revenait pas. Tout à coup la lumière était entrée dans son existence grise.

Quand il aurait accompli l'opération et analysé cette captivante matière grise, il entreposerait le jeune homme dans la langue du glacier. Comme il l'avait déjà fait avec des centaines de clients. Ainsi se donnait-il le temps d'étudier leur maladie. Éventuellement de trouver un remède. À chaque corps entreposé correspondait une des horloges des étagères, dans son bureau. Quand le mécanisme cessait de fonctionner, par usure ou défaut, Malebasse considérait que le malade n'appartenait plus au monde des vivants. Sa guérison n'était donc plus à l'ordre du jour.

Il est vrai que Malebasse avait depuis longtemps renoncé à guérir quiconque. Faire boire des tisanes, cautériser des plaies, pratiquer des saignées à la sangsue, distiller des humeurs des jours durant, tout cela ne l'intéressait plus. Pour traiter vermicelle ou coquebuche, les gens n'avaient pas besoin d'un charlatan de son génie. Il n'acceptait que les mourants, les condamnés, les cas les plus désespérés. Les familles payaient très cher leur espérance, si infime soit-elle. Malebasse ne monnayait pas son savoir. Il vendait de l'espoir.

– À nous deux, étranger ! gloussa-t-il et il entreprit de perforer le crâne d'Achille.

La première goutte de sang avait déjà jailli, quand la lourde tenture se déchira, livrant passage à un Ganachon hors de lui.

– Graine de bourre-misère ! J'en étais sûr !

D'une ruade il envoya valdinguer le trépan et, saisissant Malebasse entre ses incisives, il se mit à le secouer comme un sac de blute. Probablement l'aurait-il réduit en purolle si Achille ne s'était soudainement réveillé. Le cheval lâcha le charlatan qui alla s'écrabouiller contre un mur.

– Tu vas bien, cavalier ?

– J'ai fait un rêve étrange. Quelqu'un tentait d'entrer dans ma tête.

Ganachon lui expliqua que tel était bien le cas. Une noire colère saisit Achille. Il alla ramasser le petit être informe qui geignait dans un coin de la salle et l'installa sur le lit de marbre. Puis il s'empara d'une scie à vertèbres pendue au mur et fit mine d'entamer la jambe droite de Malebasse.

– Arrête ! Je peux t'aider ! hurla le gnome.

– Parle, assassin.

– Je connais un homme dont la cervelle se vide chaque soir de sa mémoire, et qui chaque matin a besoin de la remplir à nouveau. C'est le Poussah des Pouilles, qui habite sur le mont Tintouin. Son palais grouille de marchands de souvenirs, de vendeurs de grimoires. Je suis sûr que tu trouveras là-bas ce que tu cherches. Moi-même je lui fournis à l'occasion des grimoires pour quelques malheureux ducons.

– Qui te les vend ?

– Toujours les mêmes depuis des lunes, voyageur. Un, Deux et Trois, les fils de…

– Montre-moi ces grimoires.

Malebasse se traîna jusqu'à un petit meuble, dont il tira quatre livres à la jaquette ambrée.

– Je te les donne, bien sûr, minauda le charlatan.

Les yeux d'Achille brillèrent une seconde. Mais les étiquettes sur le dos des grimoires affichaient le nom d'un freu, celui d'un soldard du Kron et même celui d'un Pouf. Le quatrième appartenait à une certaine dame Caboche. Achille Bouzouk ne se sentait aucune affinité avec ces quatre-là. Et s'il avait été l'un d'eux, il valait mieux qu'il ne le sût pas. Il mit malgré tout les grimoires dans le bât de Ganachon. Au besoin, il s'en servirait de monnaie d'échange.

– Si tu as menti, siffla-t-il, je reviendrai te trépaner la bosse, maudit puard !

Malebasse se répandit en « Que Gozar me picore la luette si je mens ! », en courbettes, en sourires mielleux. Puis, avant que le jeune homme et le cheval ne disparaissent dans la nuit glacée, il lança, avec un accent de sincérité qui troubla Achille :

– Tu cherches qui tu as été, voyageur ! Mais si jamais tu la retrouves, songe que ta mémoire ne te conviendra peut-être pas !

CHAPITRE 5

LES HÉROS NE DORMENT JAMAIS, DIT-ON. POURTANT Ganachon et Achille Bouzouk auraient donné cher pour un bon lit. Ils avaient trotté toute la nuit, surtout le cheval. À présent que l'aube blanchissait le ciel, les paupières se faisaient lourdes. Aucun des deux compagnons ne voulait se reposer sur l'autre, par égard mutuel. Aussi, quand ils virent les tours crénelées du palais du Poussah des Pouilles, un grand soulagement les prit. Un soulagement tel qu'ils s'endormirent l'un sur l'autre dans un fossé.

Quand midi tinta au donjon du palais, ils ronflaient toujours.

Ce furent sonnailles et clochettes qui les éveillèrent. Sur la route marchait un troupeau de cochons noirs poussés par un porcher. Il les menait vers le palais. Aux questions d'Achille, l'homme répondit que le Poussah des Pouilles se goinfrait tout autant de souvenirs que de mangeaille. Comme sa vie de porcher était morne et ses souvenirs sans saveur, il n'avait que du beau et gras jambon à offrir à son seigneur. D'autres que lui se chargeaient de lui remplir la mémoire. Il montra loin devant lui une femme vêtue d'une capeline rouge, marchant vers la grille dorée du palais.

– Dame Coulemelle vient à chaque dernier quartier de lune lui apporter sa pâture. Comme bien d'autres. Comme vous, peut-être, messeigneurs ?

Tout en hochant vigoureusement la tête, Achille Bouzouk se demandait si les quatre grimoires de Malebasse suffiraient à les faire entrer au palais. Mais il n'avait rien d'autre à proposer. Il enfourcha donc Ganachon et tous deux franchirent la grille, suivant de peu dame Coulemelle ; elle venait de passer sans encombre sous le nez des gardes. Voilà belle lurette qu'on ne la fouillait plus.

Il régnait ici une incroyable confusion. La femme en rouge fut immédiatement entourée d'une bande de joyeux drillons, ces avortons vêtus de soie qui fleurissent toujours dans la cour des princes. Ils geignaient comme des chiots et lui firent cortège jusqu'à la salle du banquet. Dame Coulemelle les appelait chacun par son nom, et flattait de la main leur crâne empanaché.

Achille et Ganachon eurent droit en revanche à une fouille serrée. Par bonheur, les grimoires trouvés dans le bât du cheval furent un excellent passeport. Les drillons vinrent même batifoler autour d'eux et leur poser mille questions. D'où venaient-ils ? Pourquoi Ganachon avait-il une croupe longue comme un saucifard ? Quels étaient leurs noms ? À qui Achille Bouzouk avait-il acheté les grimoires ? Comment trouvait-il le palais ? Aimait-il leur maquillage et leurs chapeaux empana-chouillés ?

Achille répondit posément à toutes les questions, sans se troubler. Sous leur aspect de volatiles insigni-fiants, les drillons faisaient leur travail de surveillance. Le Poussah des Pouilles était bien gardé.

On les fit entrer dans la salle de banquet, où grouillaient d'autres drillons, des serviteurs portant des plats, et quelques grifflons, grands chiens blancs à tête de lion. Le brouhaha était intense. Personne ne remarqua leur arrivée. C'était exactement ce qu'Achille avait espéré. Tout ce qu'il désirait, c'était glaner des informations.

Le Poussah trônait sur une couche, vautré au milieu de coussins bigarrés et d'écharpes blanches. Au-dessus de lui, on agitait mollement un chasse-mouches. L'homme était squelettique, presque translucide. On voyait fourmiller ses veines sous la peau. Il conversait avec dame Coulemelle et ce qu'il entendait le clouait de stupeur. La femme capée de rouge lui expliquait qu'il se passait quelque chose de grave, de très grave, dans le trafic des grimoires, car depuis quelques jours ils devenaient de plus en plus rares. À vrai dire, il n'en circulait quasiment plus. Elle avait apporté les derniers qu'elle possédait. Trois, pas plus.

– Ce sont des souvenirs de premier choix, Poussah. Un écuyer du Kron ! Tu aimeras ses aventures !

– Mais tu sais qu'il me faut quatre grimoires par jour, Coulemelle ! Quatre ! Ou je disparaîtrai comme un pet de nonne.

Depuis près de dix lunes, le Poussah des Pouilles était atteint d'une maladie terrible qui le rendait chaque matin exsangue de souvenirs. La lecture de ses quatre grimoires journaliers lui permettait d'endosser la mémoire d'un autre. Provisoirement, puisqu'il fallait recommencer le lendemain. Et le surlendemain et tous les jours que Gozar faisait. Quatre grimoires, pas un de moins. Sans eux, il était condamné à devenir une baudruche vide. Cette sombre perspective le rendait cruel et colérique.

Dame Coulemelle se pencha vers lui et murmura :

– Naturellement, si tu y mets le prix, je peux te procurer le dernier grimoire. Même s'il est introuvable…

– Quel prix ?

Il n'y eut plus qu'un chuchotement inaudible. Qui fit hurler le Poussah.

– Mais c'est une somme colossale, fiente de poule ! Astronomique, même !

– Tu es le Poussah des Pouilles, oui ou non ? Que t'importe l'or ? Tu en regorges !

C'est alors que l'homme aperçut Achille, qui se tenait dans l'ombre d'un pilier.

– Approche, toi ! glapit-il.

Le jeune homme avança, la mort dans l'âme, jusqu'à la couche du Poussah. Ganachon sur ses talons.

– Qui es-tu ? Je ne t'ai jamais vu.

Pour toute réponse, Achille Bouzouk sortit les quatre grimoires du bât de Ganachon et les tendit au Poussah, soudain ravigoré. Mais ce fut dame Coulemelle qui attrapa les livres au passage et, à la lecture des étiquettes, fit la moue en crachant :

– Souvenirs de pacotille ! Un freu, un soldard, une péronnelle et un Pouf ! Du vent ! Du moins que rien ! Avec ça, tu ne garniras pas la moitié du quart de ton crâne, seigneur ! Ce garçon est un amateur ! Sans compter les risques que tu prends, à mêler des…

– Tu m'épuises avec tes bavottes, Coulemelle ! coupa le Poussah. Puis, se tournant vers Achille :

– Combien, jeune coq ?

– Cinq ducons, bafouilla l'autre au hasard. Quatre, si tu veux…

Le Poussah rugit de joie.

– Paie à ce cavalier dix fois le prix qu'il demande ! hurla-t-il à un des drillons.

Il se tourna vers dame Coulemelle, qui pressentait le pire.

– Quant à toi, drôlesse, je vais songer à un supplice très long, très douloureux pour te punir de ta rapacité ! Oser me demander mille ducons ! Frouille malfaisante !

Et il avala sur-le-champ les pages des grimoires, sous les hourras, les glapissements et les aboiements de sa cour. Sans même prendre le temps de les froisser pour les rendre plus digestes.

On invita Achille et Ganachon à s'asseoir autour de la table et le festin commença. C'était la tradition, au palais. Le Poussah des Pouilles dînait avec ses pour-voyeurs de mémoire. Quand il avait le crâne plein, il était moins hargneux. Il permit même à dame Coulemelle de grignoter quelque chose avant d'être jetée aux oubliettes.

Soudain le tumulte se calma d'un coup. Les four-chettes restèrent suspendues en l'air, personne n'osa plus respirer. Même les grifflons se turent.

C'est que le Poussah n'allait pas bien du tout. Il s'était levé, l'œil fixe, la main en visière sur le front, comme s'il guettait l'arrivée de troupes ennemies. Il poussa un cri dans une langue inconnue et galopa autour de la table en marmottant « Adada-adada-adada ». À chaque fois qu'il passait près d'un drillon, il faisait mine de donner un coup de sabre, en gloussant comme un dindon.

Puis il s'effondra sur sa couche et se mit à éventrer les coussins avec une cuillère à soupe. Il écumait d'une bave rosâtre.

Le Poussah des Pouilles avait lu des grimoires d'ori-gines différentes, malgré l'avis de dame Coulemelle. Malgré dix lunes de belles et bonnes habitudes. Et il était en train de devenir fou.

CHAPITRE 6

TOUT CELA AURAIT PU FINIR EN EAU DE BOUDIN. IVRES DE colère, les gens du Poussah étaient sur le point de larder Achille de coups d'épieu, de dague et même de fourchette. Mais Ganachon les bombarda, à point nommé, de puants crocrottins. L'essaim de drillons, les soldards armés jusqu'aux dents, tous refluèrent. Achille sauta en croupe et c'est au grand galop qu'ils traversèrent la salle du banquet. Au passage, le jeune homme empoigna dame Coulemelle et la hissa derrière lui.

Dans la cour, l'équipage flanqua la panique parmi les cochons noirs, qui musardaient paisiblement. Les bêtes se mirent à couiner et s'éparpillèrent dans les couloirs du palais, percutant drillons et soldards, piétinant les grifflons. Il n'y eut que le Poussah des Pouilles à se réjouir. Il prit les porcs pour des pingouins et crut qu'il venait de découvrir le pôle Nord.

Ganachon bouscula les derniers gardes et prit la direction de la forêt. Il lâcha encore quelques crocrottins, histoire de décourager l'ennemi, mais personne ne songeait à les poursuivre ; le palais résonnait de hurlements et de sanglots, le Poussah était devenu fou, les drillons couraient dans des couloirs pleins de cochons noirs. Achille Bouzouk n'était décidément pas de bonne compagnie.

Ni Malebasse, songeait amèrement le jeune homme. Le gredard ! Ses quatre grimoires étaient un cadeau empoisonné, ô combien ! Dame Coulemelle le lui confirma en chemin, avant de se couler contre lui.

–Mon garçon, je te dois une vie, dit-elle. Ce vilain Poussah m'aurait fait grignoter le cœur par ses grifflons !

Elle paraissait sur le point de le couvrir de baisers. Il s'empressa de mettre pied à terre. Bigrebec ! pourquoi les femmes lui sautaient-elles toujours au cou ?

Ils allèrent ainsi pendant quelques lieues. Achille marchait au flanc de Ganachon, que montait dame Coulemelle. La jeune femme voulant tout savoir de sa vie, Achille conta son histoire. À la fin, bouleversée, elle fondit en larmes.

–C'est ainsi, dit Achille. Zout le Dégonflé a scellé mon destin. Je cours vers lui.

Ce genre de phrase, d'ordinaire, coupait court aux lamentations. Pas chez dame Coulemelle, hélas. Elle continua à se répandre en sanglots et compassion. Achille Bouzouk décida d'y mettre un terme.

–Il faut que je te quitte, maintenant, dit-il d'un ton sans appel.

La jeune femme se laissa glisser par terre, soupira.

–Pars, beloiseau, larmoya-t-elle. Je te regretterai.

Puis, fouillant dans la poche de sa cape :

–Prends ceci. En souvenir de moi.

Elle tendait quatre grimoires.

–J'aurais pu les vendre un bon prix. Ce sont les Mémoires de Rak le Tuk, un grand guerrier. Un homme très brave, borné, brutal. Si un jour, las de ta quête, tu veux t'étourdir de combats, de sueur et de sang, alors lis ces grimoires, beloiseau.

Dame Coulemelle réussit à lui voler un baiser sur la bouche et s'enfuit dans un grand froissement de tissu rouge.

Songeur, Achille Bouzouk rangea les livres dans le bât de Ganachon. Zout le Freu fasse qu'il n'ait jamais à s'en servir.

– Où m'emmènes-tu, mon ami ? dit le jeune homme, l'œil rêveur.

Il se sentait empli de vague à l'âme.

– Là où les souvenirs changent d'épaules, cavalier. Dans les villes où les gens ont besoin de parler et d'entendre parler. J'en connais quelques-unes.

– Toi ? Je croyais que tu n'étais jamais sorti du Cuvon des Bougres.

Ganachon émit un petit ricanement.

– Un jour, je te raconterai ma vie, cavalier. Plus tard, car c'est une longue histoire. Je te dirai qui je suis, et qui je cherche.

– Tu cherches quelqu'un ?

– Comme tout le monde. Toi-même, ne te cherches-tu pas ?

Ganachon avait l'art de ne pas répondre aux questions. Achille Bouzouk était intrigué et chercha à en savoir plus, mais le cheval clôtura l'entretien d'un pet sonore comme cloche de bronze. Redoutable effluve, d'une grande efficacité.

Ils cheminèrent ensuite vers le nord. Hameaux, villages et villes y poussaient comme fourmilles, grâce au commerce du zol, une épice au goût violent. On disait qu'en mettre sur sa langue, c'était pire que d'avaler un tison brûlant.

On le trouvait sous terre, niché profondément en grandes plaques. L'extraire était fort dangereux, en raison de sa friabilité. Ceux qui en faisaient métier, les zoliers, étaient considérés comme des coquouillons sans cervelle. À ce titre, on les payait fort mal. Faute de mieux, coquouillons ou non, les zoliers se contentaient de leur maigre salaire.

Le premier hameau était minuscule et portait le nom de Zoli. À leur passage, les gens ouvrirent leurs fenêtres pour les saluer. Ils étaient gais, insouciants ; trop heureux, en vérité, pour que les souvenirs des autres les intéressent. À Achille qui les questionnait sur le sujet, ils parlèrent de Zola, un village proche. Les habitants y étaient plus maussades, d'après eux.

C'était vrai. À Zola, on souriait moins. Mais on n'avait pas besoin de souvenirs. « Pas encore ! » soupira un vieillard. Il indiqua à Achille la petite ville de Zolour, où logeaient bon nombre de grincheux et de grognons.

Il avait parfaitement raison. Sur la place, Achille Bouzouk dénicha une marchande de souvenirs. Elle n'écoulait hélas que des petits souvenirs sans importance, à trois ducons pièce, qui occupaient à peine la soirée. Ils consistaient en des lambeaux de pages, probablement arrachés à des grimoires volés.

La marchande tenta ainsi de vendre à Achille les souvenirs d'enfance d'un polisseur de galets, ceux d'un friseur de perruques. C'était pitoyable.

Un bisoutier conseilla au jeune homme d'aller au foirail de Zoleil, la plus grosse ville de la région, bâtie à côté de la principale mine de zol. Beaucoup de conteurs d'histoires, d'écrivains et d'avocats allaient y faire leurs emplettes de souvenirs.

– Là-bas, à cause de la poussière de zol, les gens ne voient presque jamais la lumière du jour. Ils ont grand besoin d'histoires pour égayer leur pauvre vie. Surtout les zoliers, ceux de la mine, qui logent dans les baraques.

Achille Bouzouk se remit à espérer. Sa mémoire était peut-être là-bas, au milieu de ce fourmillement de misère, d'accablement. Comme un fossile dans la tourbe profonde.

CHAPITRE 7

SOUS L'ÉNORME NUAGE GRISÂTRE QUI LA SURPLOMBAIT, Zoleil ressemblait à une gigantesque taupinière. Les premiers faubourgs naissaient dans la plaine, d'abord clairsemés, puis les maisons se serraient de plus en plus. Au fur et à mesure qu'on montait la colline, la ville devenait une masse compacte de tuiles, de pierres et d'argile. Comme l'air, qui devenait plus lourd, plus visqueux.

– On étouffe ici ! grogna Ganachon.

Achille Bouzouk grimaça, la langue pâteuse.

– C'est cette poussière infecte. Ça nous bouffaille la gorge !

Il fallait pourtant qu'ils s'avancent. Le foirail était tout là-haut, sur la grand-place, parmi les baraques des zoliers. Près de la mine et de sa perpétuelle bruine noire qui finissait par brûler les yeux et la poitrine des gens.

On ne vivait pas vieux, à Zoleil. Mais il en avait toujours été ainsi et personne ne se plaignait, disait-on. Les zoliers n'avaient-ils pas le zol gratis et à volonté, pour le reste de leur existence ? Ils pouvaient même s'en tartiner la langue ou s'en faire des bains de pieds, s'ils le voulaient ! Un privilège pareil valait tous les sacrifices du monde.

Peu à peu la foule enflait. De toutes les ruelles étroites qui montaient vers la place arrivaient des cavaliers, des chariots traînés par des bœufs, des familles entières, des musiciens, des bandes bruyantes de Poufs, des marchands et des saltimbanques. Le marché de Zoleil attirait tous ceux qui voulaient s'amuser, vendre ou acheter, voler et boire. Achille Bouzouk se mêla à ce flot de gens et de bêtes avec un certain plaisir. Il sentait dans cette cohue furieuse un bouillonnement de colère et de désespoir, mais aussi une grande frénésie de vie.

Ganachon cheminait comme une barque sur la mer houleuse ; il forçait parfois l'allure pour s'arracher à la gangue humaine.

Sur la grand-place, le tumulte était plus impressionnant encore. À perte de vue, des tentes multicolores, des tréteaux, des étals surchargés, des troupeaux de bestiards. Partout des torchères, des braseros, des feux pour trouer l'immonde brume de poussière qui tourbillonnait au-dessus des têtes. Malgré l'air vicié, la bousculade, le vacarme, c'était un spectacle extraordinaire. Achille et Ganachon s'en goinfrèrent les yeux pendant un long moment. Puis ils furent aspirés par la multitude.

– Ouvre bien tes esgourdailles, cavalier ! hurla le cheval. J'entends bouillie de mots autour de moi !

Des mots, il y en avait, et à la tonne. Tout le monde piaillait, s'égosillait, bramait. Pour se faire entendre, il fallait avoir du tonnerre dans la voix.

– Entrez, gentes et gentils, entrez et admirez les créatures du néant !

L'homme qui bramait ainsi, un géant blond, dominait sans peine le tumulte.

– Un ducon, un seul ! Et vous verrez les enfants du rien ! Les sans-mémoire ! Les crânes-vidés ! Entrez donc !

Achille eut un haut-le-cœur. Les sans-mémoire ? Avait-il bien entendu ?

– Deux monstres hideux ! Venez voir mes Bougres !

Le mot fouetta Achille, qui vacilla un instant. Ganachon fendait déjà la foule en direction du géant, s'arrêtait devant l'entrée de la tente.

– Deux places, pistounet ?

Achille fouilla ses chausses et fit dégringoler deux pièces dans la paume calleuse.

– Entrez messeigneurs, grasseya l'autre, entrez donc ! La séance va débuter !

Il faisait sombre à l'intérieur. Quelques badauds lorgnaient déjà une cage recouverte en partie d'un drap noir. On devinait leurs visages ricanant, grimaçant, prêts à se fendre la poire au premier biscornu venu. Le camelot entra en trombe dans la tente, agrippa une corde en tonnant :

– Ils sont mous ! Ils sont bêtes à bouffailler du skonj ! Ils mangent leurs propres doigts ! Voici mes monstres ! Mes Bougres !

Il tira sur la corde. Le public poussa un cri d'horreur et de dégoût. Dans la cage il y avait deux créatures hirsutes, repoussantes, qui avaient dû être un homme et une femme. Leurs yeux n'avaient aucune expression, ils grognaient en sautant sur place.

Achille les reconnut au premier coup d'œil. Bel-Essaim et Bouffe-Bœuf ! Réduits à l'état de glumaces mollassonnes ! La belle Bougresse ressemblait à une vieille méduse. Le jeune homme sentit bouillir en lui une ardente colère. Il bondit vers la cage, la secoua sauvagement.

– Ce sont mes amis ! hurla-t-il. Libère-les, blondin !

– Tu la boucles et tu nous laisses finir le numéro, d'accord ? murmura Bouffe-Bœuf sans regarder Achille.

Et il se mit à cogner sur les barreaux de la cage, en couinant comme un porc. Bel-Essaim s'était fourré les doigts dans la bouche et faisait mine de les manger. Elle roulait des yeux blancs.

Achille recula d'un pas, effaré. Il ne savait plus s'il lui fallait rire ou hurler.

Chapitre 8

Faut bien qu'on gagne de quoi bouffailler, Bouzouk !

Bouffe-Bœuf riait comme un enfant en serrant Achille sur son cœur. Il ne le posa par terre que lorsque le jeune homme commença à étouffer.

– Ça avait l'air si vrai !

– C'est qu'on s'est entraînés à faire la bête, hein, la belle ?

Après un rapide débarbouillage, les deux Bougres avaient changé de vêtements. Bel-Essaim s'était fardée, parfumée. À présent, elle se taisait, émue jusqu'aux larmes. Mangeant Achille des yeux, avec un sourire qui en disait long.

Ils cherchèrent une gargotte où se raconter leurs aventures. Bouffe-Bœuf prétendait qu'il avait la gorge rouillée à force de grogner et de baver, et qu'il lui fallait la graisser au kohol. À Zoleil, les tripots fleurissaient. Ils en choisirent un dont la porte était assez large pour laisser passer Ganachon. Pas question qu'il restât dehors comme un vulgaire canasson.

À l'intérieur, c'était sombre et puant. Le kohol y coulait dru. On le buvait à pleines chopes et d'un trait. Bouffe-Bœuf était ravi. Une fois le gosier trempé, il se mit à parler. Leur histoire était simple. Filant vers le nord, Bel-Essaim et lui avaient vite rencontré des convois en route pour Zoleil ; convois garnis de musiciens, de jongleurs, de diseuses de bonne aventure, de camelots. Ces gens leur avaient plu et ils s'étaient joints à eux. Zoleil avait de quoi séduire les voyageurs errants.

– Là ou ailleurs… soupira Bouffe-Bœuf.

Voilà presque une lune qu'ils jouaient aux monstres sur le foirail. Une idée de Guibolle, le camelot, auprès duquel Bouffe-Bœuf s'était épanché un soir. Leur numéro plaisait aux zoliers, qui aimaient voir plus misérables qu'eux.

– Tu vois, Bouzouk, on se débrouille, avec nos crânes vides, conclut Bouffe-Bœuf.

Une question brûlait la lippe du jeune homme.

– Dis-moi, Bougre : n'as-tu pas envie, comme moi, de retrouver ta mémoire ? Et toi, Bel-Essaim, de savoir qui tu étais autrefois ? Vous en moquez-vous tous deux ?

– Pour tout te dire, fiston, je m'en tampoche le derche ! Bougre je suis, Bougre je resterai ! À quoi servirait de me touriller le cœur ? C'est bon pour un pistounet dans ton genre !

Achille hocha la tête en silence. Il attendait la réponse de Bel-Essaim, qui tarda. Enfin elle dit :

– Que ferais-je d'un passé où tu n'es pas, mon mignard. Entends-tu ?

Achille entendait. Pour couper court, il raconta d'un trait leur propre histoire, qui arracha d'enivrants frissons à Bel-Essaim. Les aventures du mignard étaient mille fois plus excitantes. Que ne l'avait-il pas emmenée ! Mais Achille ne répondant toujours pas à ses œillades ni à ses soupirs, la Bougresse n'insista pas. Elle attendrait son heure, voilà tout.

Le tripot se remplissait peu à peu de zoliers qui sortaient de la mine. Avant de rentrer dans leurs baraques pour une courte nuit de sommeil, ils venaient se remplir la panse et se mouiller la gorge. Ou encore s'étourdir d'histoires fabuleuses. Des cercles se formaient autour de certains qui parlaient haut et fort.

Tout en écoutant ses amis, les oreilles d'Achille traînaient. À l'une des tables voisines, quelque chose lui titilla l'ouïe.

–Quand on me l'a mis au petit doigt, mes amis, je me souviens que le rubiole s'y est collé comme une sangsue. Pas moyen de le tournevisser, ni de le déloger. Une verrue, je vous dis ! Aussi rouge qu'un pis de gruche ! Mais mon père disait... euh... il disait...

L'homme bafouillait, cherchait ses mots. C'était un zolier maigrelet, au visage mangé par un nez monstrueux. Quelque chose entre cloque et bubon.

–Qu'est-ce qu'il bavottait, ton vieux daron ? couinèrent en chœur les autres.

–Faut que j'en remâche une ou deux, gloussa l'homme en sortant quelques feuilles de sa sacoche.

Des feuilles qu'on avait manifestement arrachées à un grimoire !

Achille regardait son propre petit doigt flanqué de la pierre rouge. Celle qu'il n'avait jamais réussi à ôter. Poussant un cri sauvage, il bondit par-dessus la table et réussit à cueillir les pages du zolier.

–Dis donc, morbec ! s'étrangla l'homme, abasourdi.

Autour d'eux, les gens se rapprochaient déjà. Une bagarre, c'était toujours bon à prendre. Déjà le zolier avait appelé ses amis à la rescousse, qui marchaient sur le jeune homme.

– Rends-moi mes feuilles, tripotard ! Fripouillon ! Vide-chausses !

Achille ne bougea pas. Triomphant, il montrait sa pierre.

– Ce sont mes souvenirs qu'elles contiennent, freluque ! Le rubiole dont tu parles, c'est le mien !

Cela n'impressionna nullement les autres. Le zolier agita un coupe-tripes sous le nez d'Achille.

– Je m'en tampoche, de ta pierre ! Foi de Tarin, ces pages sont à moi ! Je les ai payées comptant d'une belle paire d'as !

Bouffe-Bœuf se dressait déjà, faisait tournoyer ses énormes poings, mais Achille l'arrêta. Il sortit de sa poche une poignée de pièces qu'il agita sous le nez du zolier.

– Je te paie les feuilles cent fois leur prix, Tarin ! lança-t-il.

– Du vent, chougnard ! Et tes ducons, je les prendrai en sus !

À présent, tous les zoliers du tripot entouraient Tarin. S'apprêtant à écrabouiller ces quatre étrangers qui bafouaient leur loi, qui les prenaient pour des vendus, des gagne-petit. Savaient-ils seulement, ces morbecs, que des zoliers ne reculent jamais ? Comme dans la mine, où ils avancent encore et toujours, en dépit des éboulements qui menacent sans cesse !

– Veux-tu que je raconte à tout le monde où tu passes tes fins d'après-midi, mousticaillon ? hurla soudain Bel-Essaim.

Ce fut magique. Tarin se figea net, regarda la Bougresse d'un air épouvanté et battit en retraite. Il tenta même de s'esquiver vers la sortie mais Bouffe-Bœuf l'attrapa au passage.

– Reste avec nous, crapule ! On veut te causer.

Quant aux zoliers, ils refluèrent pêle-mêle dans le tripot, fixant Bel-Essaim avec des yeux remplis d'effroi. Si elle savait où Tarin passait ses fins d'après-midi, alors, elle savait sans nul doute où eux-mêmes les passaient. Et si leur femme l'apprenait, par Ggrok ! c'était la fin de tout ! Mieux valait laisser filer cette sorcière aux cheveux bleus et ses compagnons.

Les quatre amis quittèrent le tripot devenu étrangement silencieux. Sans oublier le petit zolier que Bouffe-Bœuf tenait sous son aisselle.

LES DEUX BOUGRES LOGEAIENT DANS UN ANCIEN MOULIN À zol, à la lisière de la ville basse. C'est là qu'ils se rendirent, après avoir longé un petit chenal à l'eau croupissante.

Achille Bouzouk avait résisté à la tentation de lire sur-le-champ les feuilles du zolier. Lorsqu'ils furent dans le moulin, il s'y plongea à cœur perdu, les tempes moites, les mains tremblotantes. Il fut horriblement déçu. S'il s'agissait probablement de pages arrachées à ses propres Mémoires, elles ne contenaient que deux souvenirs mineurs. Celui du rubiole, dont son père disait que personne ne pourrait lui ôter, y compris lui-même : il était à jamais le signe qu'il appartenait à sa famille. Quelle famille ? Mystère. Il n'était mentionné ici aucun nom. Quant au second, il s'agissait de son appétit immodéré pour la confiture de chourave, lorsqu'il avait cinq ans.

C'était à l'évidence des pages qu'on avait choisies de vendre parce qu'elles ne présentaient aucun intérêt. Au moins venait-il d'apprendre qu'il avait une famille et un père.

Depuis un bon moment, Tarin regardait avec effroi les quatre fous furieux qui l'avaient capturé. Notamment cet énorme cheval parlant, qui le terrorisait. Quand Achille, une fois sa lecture terminée, se tourna vers lui, les yeux fulminants, il se sentit mollir comme de la glu. Ils allaient le cisailler en menus morceaux, le rôtir à la braise vive, le...

– Où as-tu trouvé ces pages, freluque ?

Ce n'était que cela ? Le zolier soupira d'aise. Il déballa tout ce qu'il savait.

– C'est Mille-Mots, un scribrouillon. Hier, au tripot, on a joué une partie de zonzotte qu'il a perdue.

Il cracha par terre un jet de salive brunâtre.

– Ce pisse-verbe n'ayant jamais un ducon en poche, il m'a donné ces bouts de papier. Prenez-les, seigneur, s'ils sont à vous.

Le zolier souriait du sourire de l'innocent ravi de rendre service. Même son nez s'embellissait au-dessus de sa bouche.

– Où le trouve-t-on, ce Mille-Mots ?

– Quand il est pas au tripot, il niche rue du Flingot, chez maître Gobille, qui héberge les freluquins de son espèce. Je peux partir ?

Bigrejoie ! c'était alléchant. Achille Bouzouk sentit que son passé était à portée de main.

– Je peux partir, seigneur ? répéta le zolier d'une voix de criquaillon.

– Du vent, crapoussin ! cria Bel-Essaim. Et rappelle-toi que je sais tout !

Tarin disparut aussi prestement qu'un dernier soupir.

– Tu sais quoi, au juste ? demanda Bouffe-Bœuf.

Bel-Essaim ricana.

– Moi rien, mais lui, il doit savoir.

Tout le monde apprécia. La ruse était belle et Bel-Essaim pleine de finesse. Tant il est vrai que chacun a toujours quelque chose à se reprocher.

Puis Achille annonça qu'il allait rue du Flingot.

– On y va tous, cavalier ! rugit Ganachon.

Le jeune homme secoua la tête, expliquant qu'il voulait régler cette affaire seul. Son ton était sans réplique. Il partit sans tarder.

La rue du Flingot était dans la ville basse, épouvantable entrelacs de ruelles tortueuses et répugnantes. Bêtes et hommes y faisaient leurs besoins à leur gré. Les tas de fumier et d'ordures empêchaient toute circulation à cheval ou en charrette, et certaines rues n'avaient plus un seul pavé. On y volait, on y bataillait, on y égorgeait autant que possible, sans que les soldards du guet y vinssent mettre leur nez. C'était un endroit de misère et de violence ; c'était le territoire des sans-rien, des gouapes, des fripouilles, des assassins, des gredins de tout poil.

Il va de soi que nul étranger ne s'aventurerait d'ordinaire dans ce lieu sordide. Achille Bouzouk s'y engagea pourtant d'un pas si ferme et si hardi qu'un murmure s'éleva dans le quartier. Les gens chuchotèrent qu'une créature de Ggrok, le dieu des Marais-Puants, ratissait la ville basse afin d'y trouver une proie pour son maître. On le laissa donc passer en retenant son souffle.

C'est ainsi qu'Achille arriva sans encombre chez maître Gobille. Il trouva la porte bâillante et entra dans un large couloir. Le désordre était épouvantable ; il y flottait des effluves de fiente, de moisissure, de graillon. Si le scribrouillon hantait les tripots, il devait aimer l'atmosphère de ce gentil bouge. Achille s'avança parmi les détritus, les fioles vides. Ils semblaient être une fournée à loger dans la maisonnée, et des sacrés soiffards! Il se heurta à plusieurs portes verrouillées avant d'en pousser une qui s'ouvrit. Il avait vu juste : c'était l'antre qu'il cherchait. Des flopées de livres jonchaient le sol, tapissaient les murs. Rien d'autre, sinon une petite écritoire où brûlait une lampe à huile. Sur un lit de feuilles froissées était affalé un corps inerte. Ici l'odeur de cuir et de cire l'emportait, âcre, rugueuse.

Au bruit que fit le jeune homme, le vieux Mille-Mots s'ébroua. Il frotta son visage d'une main nerveuse, regarda autour de lui. En voyant cette silhouette plantée au seuil de la pièce, il grogna, d'une voix fêlée par le kohol :

—Donne-moi à boire, Gobille. J'ai la glotte sèche.

—Debout, sac à bistrouille! Tu torcheras tes fioles une autre fois.

Mille-Mots sursauta. Ce n'était pas la voix de maître Gobille. Quelqu'un lui voulait du mal. Il se mit à brailler comme un skonj qu'on dépiaute jusqu'au moment où Achille l'agrippa par ses deux oreilles.

—Où sont mes grimoires? siffla Achille en montrant les pages arrachées.

Le scribrouillon prit la mine d'un poisson hors de l'eau. L'œil rond et les ouïes palpitantes.

—Grimoires? Moi, des grimoires? Pour qui me prends-tu, rouquin? Mille-Mots n'a pas besoin de grimoires pour écrire!

Il se releva avec peine et leva un doigt sentencieux.

—Un scribrouillon compose avec sa tête, pas avec celle des autres! Un scribrouillon a la mémoire grosse comme une barrique de kohol! J'ai vécu assez de vies pour écrire autant de livres qu'il y a de grains de zol à Zoleil, moustiquon!

Épuisé par l'effort violent qu'il venait de faire, il retomba à terre.

– On ne t'appelle pas Mille-Mots pour rien, dit Achille. Tu bavottes comme une vieille pie.

Il tira un peu plus les oreilles du scribrouillon et répéta durement :

– Où sont mes quatre grimoires ?

– Tu vas laisser ce pauvrelet tranquille, pue-du-derche ?

Sur le seuil de la pièce, il y avait maître Gobille. Il n'était pas seul. L'accompagnaient une demi-douzaine de fripouillards aux poings hérissés de coupe-tripes.

CHAPITRE 10

– **B**OUZOUK SEUL DANS CE FOURBI D'ASSASSINS, DE tranche-gigots ! Il va s'y faire désosser jusqu'au trognon, morcul !

À force de marcher en rond autour de la table, Bouffe-Bœuf avait le tournis. Quant à Bel-Essaim, elle se coiffait les cheveux avec une telle nervosité qu'elle s'en arrachait des touffes entières. Cette attente était insupportable. Ganachon, qui se faisait lui aussi un sang d'encre, proposa donc d'aller caracoler vers la ville basse, et les deux Bougres se ruèrent sur son dos sans piper mot. Ils dégringolèrent les ruelles au grand galop, le cœur cognant à tout rompre. Bel-Essaim priait pour qu'elle retrouve son mignard entier.

Rue du Flingot, Ganachon fracassa à coups de sabots la porte de maître Gobille et ils s'avancèrent, prêts à tout. Sauf à entendre ceci :

Ô belle amie du soir vous m'entendrez un jour
Ivre de désespoir hurlailler mon amour
Aux confins du désert parmi les cris des loups
Mâchouillant ma misère, chagrin, teigneux, jaloux...

C'était la voix d'Achille. Une voix au timbre velouté, celle de quelqu'un qui récite calmement un texte devant une assemblée. Une drôle d'assemblée. Mille-Mots souriait aux anges, à côté de maître Gobille, pareillement béat. Six autres larrons écoutaient, fascinés, Achille Bouzouk lire un poème de Mille-Mots. Ils pleuraient sans retenue.

Bouffe-Bœuf, Bel-Essaim et Ganachon s'assirent et en firent autant. Le poème était d'une épouvantable mélancolie. Il finissait ainsi :

Vous me quittez, barbare, laissant mon âme à nu
Demain, triste escobar, j'irai me pendre aux nues !

Il y eut un bref silence et les six larrons, le visage ruisselant, applaudirent à tout rompre. Après quoi ils sortirent en oubliant pourquoi ils étaient venus. Maître Gobille fit de même, en remerciant Bbâb, dieu des vauriens, d'avoir un tel locataire. Quant au scribrouillon, il avait la cervelle embuée de ses propres phrases. « Par Ô, que ma poésie est belle et grave », songeait-il. Ganachon et les Bougres avaient le regard flou. Tout le monde était en harmonie.

Le livre de poésie claqua sur l'écritoire.

– Maintenant que ces sept crapules sont parties, tonna Achille, je te le demande une dernière fois, pisse-rimaille : où sont mes grimoires ?

Le sourire de Mille-Mots se transforma en grimace. Il dévisagea l'un après l'autre ceux qui l'entouraient. Soudain dégrisé, il sentit son talent fondre comme cire sur un poêle. Il alla même jusqu'à penser qu'il n'avait plus aucun talent. Il avait bien écrit des livres, autrefois, et parmi eux quelques-uns d'importants, aux dires de certains. Mais voilà bien des lunes qu'il n'arrivait plus à tracer un seul mot, miné qu'il était de kohol, de regrets et de solitude.

Avec le peu d'argent qu'il avait, il achetait parfois des grimoires. Ainsi, comme d'autres scribrouillons sur la place, aurait-il pu faire mine d'écrire. Mais il ne les lisait même pas. Il les jouait aux dés ou à la zonzotte. Et il perdait toujours.

– Il m'en reste un, pas plus. Très incomplet, de surcroît. J'en ai usé récemment pour régler une dette de jeu.

Achille blêmit. Un seul sur les quatre ! Il regarda fixement Mille-Mots se lever en titubant, fouiller l'énorme tas de livres. Cela dura un certain temps. Mille-Mots pestait, se traitait de sac à fiente, de sans-soin.

– Ah ! Je le tiens ! Par Ô, j'étais assis dessus !

Il tendit au jeune homme un petit livre gainé de cuir ambré, qui n'avait l'air de rien du tout. Achille ferma les yeux une seconde, puis lorgna le dos du grimoire. Le nom ! Son nom ! Les lettres semblaient danser la gigue, sans qu'il pût les rassembler pour les comprendre. C'est Mille-Mots qui lui prit le grimoire des mains et le nomma :

– Tu t'appelles Martial de Morte-Paye.

La phrase tomba comme un couperet. Achille répéta plusieurs fois les quatre mots, à voix haute. Et Bel-Essaim de glousser :

– Ça sonne bien, mon mignard !

– Ouiche ! Comme grelots en foire ! ajouta Bouffe-Bœuf.

Achille Bouzouk eut tout à coup l'impression que les murs tournicotaient, que les livres de Mille-Mots se mettaient à papillonner autour de lui. Bouffe-Bœuf l'attrapa au vol au moment où il s'écroulait, la tête carillonnante comme sonnailles.

Lorsqu'il émergea de nouveau, ce fut sur un lit de papiers froissés. Quatre têtes inquiètes étaient penchées au-dessus de lui, dont celle d'un énorme canasson. On l'appelait «Martial, mon petit Martial». Quelque chose venait de basculer en lui.

Il se rappela qu'il tenait serré entre ses mains un petit grimoire qui allait peut-être le faire revenir sur terre, dans un monde qui serait le sien.

– Ouvre-le donc, grogna Bouffe-Bœuf. Tu as peur de savoir d'où tu viens?

Un Morte-Paye n'a peur de rien. Un Achille Bouzouk, oui. C'est Bel-Essaim qui desserra les doigts recroquevillés sur la jaquette de cuir, et l'obligea à lever le voile.

CHAPITRE 11

ACHILLE REPOSA LE GRIMOIRE SUR SES GENOUX. Bouleversé, un peu désabusé aussi. La récolte était maigrichonne. Il avait pourtant lu lentement le texte, suçant chaque mot comme s'il allait fondre sur sa langue, se délectant de chaque phrase. Une somme de petits détails, oui, une multitude d'anecdotes délicieuses, des parfums, des couleurs, des bruits. Il se souvenait maintenant du visage de sa mère, de la voix de son père. Lui étaient revenus de longs instants passés avec dame Grise-Grinche, sa nourrice, une femme aux mamelles mafflues, aux bras épais comme des branches d'arbres. Il se rappelait les baisers de sa mère, sous le voile laiteux de son berceau.

Car il s'agissait du tome I. Celui des souvenirs d'enfance. Les trois autres lui auraient mille fois plus appris sur son passé.

Il y avait néanmoins des révélations de taille : il était le fils de sire Baroud et de dame Guilledouce. Ces noms étaient maintes fois présents dans le grimoire, tant ils avaient été ânonnés par la nourrice aux oreilles de

l'enfant. Comme avait été répété à l'envi le lieu de naissance : le fort de Morte-Paye.

Rien d'autre. La plupart des pages avaient été arrachées par Mille-Mots au hasard de ses parties de zonzotte.
Parfois un souvenir s'arrêtait à la fin d'une page, sans
suite. C'était épouvantablement frustrant. Le pire était de
songer qu'il ne retrouverait sans doute jamais ces bouts
de mémoire, dispersés aux quatre coins du pays. Ou avalés
et digérés par d'autres.

– Et les trois autres grimoires, Mille-Mots ? murmura
Achille d'un ton las.

Le scribrouillon se mit à pleurnicher. Le chagrin du
jeune homme devenait son chagrin. Que n'avait-il
conservé ces quatre grimoires ! Il tâcha sincèrement de se
rappeler, mais son cerveau était si brumeux, si rongé par
les vapeurs de kohol…

– Un soldard du royaume d'Opule, je crois. Il ne m'a
pas dit son nom. Un géant à barbe verte comme prairie au
printemps. Celui-là cherchait des souvenirs de jouvenceau…

Sous l'effort, il suait à grosses gouttes.

– Le deuxième, attends, j'ai son visage sur le bout de
la langue, attends…

Achille attendait, patient. Il est des cervelles qu'il ne
faut pas pressurer.

– Je me souviens, par Jouja ! Le perruquier du Kron !
Il avait la figure mangée de trous et des dents de rat.

Bel-Essaim applaudit pour l'encourager. Mille-Mots
avait les traits crispés, il mâchouillait ses souvenirs du
mieux qu'il pouvait.

– Le dernier ne me revient pas, malecorne !

– Cherche, Mille-Mots, cherche ! rugit Bouffe-Bœuf.

Le scribrouillon devenait peu à peu d'un rouge violent, ses mâchoires tremblaient. Enfin :

– Je l'ai ! Je le vois ! C'était à la dernière lune, sur le foirail ! Un de ces maudits sorciers au crâne en pain de sucre, aux oreilles pointues comme des coupe-tripes ! Un Bbogue !

Mille-Mots frissonna en prononçant le nom. Puis il s'affaissa, à bout de souffle. Il avait fait ce qu'il pouvait. Ganachon trompetta qu'ils allaient retrouver ces fichus grimoires avant le prochain quartier de lune, Bouffe-Bœuf et Bel-Essaim se mirent à danser.

– On les retrouvera vidés comme des flasques de kohol, dit Achille Bouzouk, la mine basse.

Il ne se faisait guère d'illusions. Mais il n'y avait rien à faire pour saper le moral des amis de Martial de Morte-Paye ! Vidés comme des flasques ? Allons donc ! Bouffe-Bœuf clamait à tout vent que Martial de Morte-Paye était un béni des dieux ! Que Zout n'allait pas l'abandonner comme un vulgaire freu ! Et qu'avec trois compagnons de qualité, ce serait un jeu d'enfançon de trouver les grimoires !

– Quatre, si vous voulez de moi, dit Mille-Mots d'une voix forte qui surprit tout le monde. Si je reste ici, j'ai peur de devenir aussi racorni que tous ces livres par terre. Je te serai utile, marmotin. Je sais même où se niche le fort de Morte-Paye ! Je suppose que tu veux t'y rendre au plus vite.

– Sur-le-champ, murmura Achille.

Il y eut un long silence, pendant lequel Achille Bouzouk regarda un à un ses amis. Il souriait. Cette fois, il ne s'en débarrasserait pas aussi facilement. D'ailleurs, tout compte fait, il n'y tenait pas. Affronter son passé lui paraissait maintenant si terrifiant qu'ils ne seraient pas trop de quatre pour l'y aider.

—Je vous emmène tous, décida-t-il. Demain soir, nous danserons la pavotte chez mon père et ma mère !

CHAPITRE 12

L'HORIZON AVAIT LA COULEUR DE L'AMBRE. IL S'Y MÊLAIT des teintes d'or et de pourpre, car le soleil montait peu à peu au-dessus de la forêt. Ganachon et ses quatre cavaliers avaient derrière eux des ombres étrangement longues. Ils avaient galopé toute la nuit vers l'est, dormant à tour de rôle, afin qu'il y ait toujours quelqu'un qui parlât au cheval et le tînt éveillé.

À présent, Bel-Essaim était en train de se peindre les lèvres au bleu de prusse en babillant avec Achille Bouzouk. Un seigneur de Morte-Paye, bigrefard ! Elle voulait être belle et parfumée ! Derrière les deux jeunes gens, Bouffe-Bœuf et Mille-Mots dormaient encore, attachés l'un à l'autre. Une idée du Bougre, qui avait peur que l'on perdît le vieux scribrouillon en route.

Ils allaient vers le val de Berlue, où était planté Morte-Paye, que Mille-Mots avait décrit comme une noire cathédrale.

Enfin, au détour du chemin, les remparts du fort se découpèrent sur le ciel orangé, comme une longue broderie de pierres. Achille avala péniblement sa salive. Il était à deux doigts de revenir chez lui. Et tant pis s'il ne retrouvait jamais les trois autres grimoires ! Il assaillerait ses parents de questions, comme un enfant curieux ! Ils lui raconteraient tout ! Achille apprendrait à redevenir celui qu'il était !

Ganachon s'arrêta. Posé sur sa butte rocheuse, Morte-Paye ressemblait en effet à quelque basilique sombre, massive. Mais à bien y regarder, il avait surtout une allure inquiétante. Les remparts étaient hérissés d'une forêt de piques, lances et hallebarques. Bigremort ! l'endroit était-il en alerte ? Au pied de la butte, sur la route qui serpentait dans la plaine, un fort nuage de poussière indiquait qu'une troupe était en train de marcher sur le fort. Une troupe interminable, flanquée, elle aussi, de pointes, traînant bombardons, pranquelles, charrettes garnies de futaille, de boulets.

– On attaque ton père, Bouzouk ! hurla Bouffe-Bœuf, qui venait de se réveiller.

Achille le calma. Là-bas, la cohue pénétrait paisiblement dans la forteresse. Troublé, le jeune homme piqua des deux sur les flancs de Ganachon pour qu'il s'avance.

– Inutile de me labourer les côtes, cavalier ! Bavotte donc ! Tu as perdu ta langue ?

Mais le cheval força l'allure, comprenant l'émotion de son compagnon. Ils parvinrent jusqu'au pont-levis, dont quelques soldards leur barrèrent l'accès, piques en avant. Cet équipage singulier ne leur disait rien qui vaille.

– Nommez-vous, étrangers ! Vous ne portez ni les armes de Saint-Doublon, ni celles du Croupe-Duc, ni celles de Barberolle ! Encore moins celles du Kron !

Achille Bouzouk les regarda de l'air le plus hautain qu'il pût et lança :

– Place, bousards ! Je suis Martial de Morte-Paye ! Fils de Baroud de Morte-Paye, votre seigneur !

Un baril de goudron bouillonnant versé sur leur crâne n'aurait pas eu plus d'effet. Un vent de panique fit frissonner les soldards. Ils baissèrent leurs piques, ôtèrent leur casque pour mieux détailler le cavalier.

–Martial de Morte-Paye ? répéta l'un d'eux, d'une petite voix flûtée. Le fils de Baroud de Morte-Paye, notre seigneur ?

–Pour vous servir, gueusards !

–C'est que vous avez été enterré voilà trois jours, messire…

–Enterré ? rugit Bouffe-Bœuf.

–Tout ce qu'il y a de plus mort et enterré, messire.

Achille Bouzouk haussa les épaules, claqua de la langue et Ganachon franchit le portail. Personne ne tenta de les en empêcher. Les soldards s'égaillèrent seulement en hurlant « Le mort est vivant ! Le mort est vivant ! », ce qui provoqua un certain émoi dans la cour du fort. Une cour grouillante de soldards en armure, piétaille ou cavaliers. Morte-Paye fourmillait de heaumes étincelants, d'épées, de masses d'armes et de lances, d'étendards flamboyants. Les chevaux eux-mêmes étaient bardés de fer.

La troupe s'écarta pour laisser avancer Achille et ses compagnons. On se taisait sur leur passage. Bientôt cette masse presque compacte de ferraille et de cuir se fit silencieuse. On n'entendait que le lent *cataclop* de Ganachon.

–On me dit que tu n'es pas mort, fils ?

La voix avait claqué comme un coup de pistaille. Elle venait du haut de l'énorme escalier qui dégringolait du donjon. Un homme, à qui deux serviteurs enfilaient le plastron d'une armure, se tenait sur la première marche, poings sur les hanches. Il était grand, épais, avec un corps qu'on devinait musculeux, dur comme la pierre.

– Monte donc m'expliquer ce miracle ! ricana-t-il.

Un brouhaha monta de la foule des soldards. On discutaillait du mort revenu sur terre. On disait que c'était un signe encourageant pour les guerres à venir. On commentait la beauté de Bel-Essaim, sa tête couleur d'azur et son odeur de violette.

Les mollets flageolants, Achille se mit à grimper les marches en se répétant qu'il allait embrasser son père, que rien d'autre ne comptait plus. Même pas cette marée d'acier et de panaches garnissant la forteresse. À quelques marches du sommet, il releva la tête, les tempes battantes, le cœur en marmelade. Son père lui tournait le dos, bras en croix. Les deux autres le harnachaient de ferraille, de vis, de coques, de plaques. Il n'y avait plus que sa tignasse, rousse et drue, à n'être pas couverte de métal.

– Père ? risqua Achille.

Sans se retourner, l'homme siffla, d'une voix aussi basse que possible :

– Viens-tu te battre à mes côtés ou me servir une fois encore tes foutaises de conte-fleurette ?

Achille s'immobilisa. Se battre ? Foutaises de conte-fleurette ? De quoi parlait Baroud de Morte-Paye ? Le jeune homme ne trouva rien à répondre, tant sa gorge était cadenassée.

Son père n'eut pas l'air surpris par son silence. Sa voix se fit plus rauque encore, plus menaçante.

– Je t'ai déjà enterré, Martial. Je peux le faire une seconde fois.

CHAPITRE 13

ACHILLE BOUZOUK ÉTAIT SUSPENDU ENTRE CIEL ET TERRE. Il regardait fixement le dos ferré de l'homme sans pouvoir s'en détacher. Il y eut un dernier claquement métallique. Le seigneur de Morte-Paye était paré.

Très lentement, il se retourna vers son fils, qu'il dominait de quelques marches. Il ressemblait à un énorme crapaud caparaçonné. Achille vit la bague rouge semblable à la sienne briller à son doigt. Il vit aussi le regard que l'homme posait sur lui, un regard sans amour, implacable. Celui d'un guerrier gavé de haine.

– Je prends la tête de cette armée, Martial. Nous allons au nord, balayer le royaume d'Opule et ce chien puant de Knut le Fourbe (que Ggrok lui pèle les dents)! Il y a trop longtemps qu'il nous nargue, ce mouflard. Le Kron m'a dépêché des troupes fraîches. Nous serons l'honneur des Kronouailles! Me suivras-tu, cette fois?

– Où est ma mère? murmura Achille.

Un rire tonitruant répondit à la question.

– Ta mère? Qui parle encore de ta mère ici? Me suivras-tu, Martial?

Achille Bouzouk sentit son corps s'emplir soudain de plomb. Il lui sembla que rien au monde ne pouvait être pire que le moment qu'il était en train de vivre. Il redescendit lentement l'escalier. Derrière lui, il entendait un furieux cliquetis d'armure et la voix dure qui braillait :

– Je le savais ! Tu n'es qu'un saltimbanque ! Un pisse-menu ! Un mâche-rime, pareil à ta grenuche de mère !

Les oreilles d'Achille bourdonnaient comme si un essaim de grelons y gigotait. Il dégringola plus vite les marches de pierre.

– Pour moi, tu es mort à jamais ! Ce soir, je t'enterrerai pour la dernière fois !

Achille n'écoutait plus les vociférations de l'homme. Il essayait seulement de ne pas tomber, tant il avait les jambes en mousse de laine. C'était difficile. Chaque marche était devenue un point minuscule bordé de précipices.

– Entends-tu, Martial de Morte-Paye ? tonna encore l'armure.

Alors, sans cesser de dévaler l'escalier, Achille hurla à son tour, pâle comme la lune :

– Je m'appelle Bouzouk ! Martial de Morte-Paye n'existe plus ! Il n'a jamais existé !

Plus d'Achille, non plus ! Il s'appellerait *Bouzouk*, désormais ! Juste *Bouzouk*, comme un fer de lance ! Comme un cri de rage !

Il arrivait en bas, la tête vide. Il sentit qu'on le hissait sur la croupe de Ganachon, que des bras l'entouraient, des bras sentant la violette. Une voix tendre lui chuchotait à l'oreille :

– Tu n'es plus d'ici, mon mignard ! Viens avec nous, viens donc.

– Trotte, Ganachon ! dit Bouffe-Bœuf.

132

Le cheval n'avait pas attendu l'ordre. L'équipage fendit la foule qui bruissait, qui grondait. Quelqu'un cria :

– Le fils Morte-Paye est un capon ! Un moulâche-couard !

On les hua, on brandit les piques, les masses d'armes. Mais personne ne leur barra la route. Puisqu'il était déjà mort, Martial de Morte-Paye n'avait plus d'existence ! Qu'il retourne au pays des sans-chair et des mange-racines ! Chez les ombres molles ! Là où était sa place !

La compagnie retrouva la poussière farineuse du sentier. Très vite, le fort de Morte-Paye disparut derrière un rideau d'arbres, et ses soldards et l'homme en armure. Ganachon ne ralentit l'allure que bien plus tard, lorsque l'horizon fut plat comme une galette de sarrasin.

Ils mirent pied à terre près d'un petit lac couleur d'émeraude. Bouzouk y passa un long moment à faire des ricochets sur l'eau avec des galets. Il se sentait abîmé, mâché.

Il avait décidément bien besoin des trois grimoires pour comprendre ce qui venait de lui arriver. Pourquoi son père le méprisait-il tant ? Quelle était cette immonde farce de l'enterrement ? Où était sa mère ? Cent autres questions se bousculaient dans son crâne. Toutes sans réponse, qui lui noyaient l'esprit.

Une rumeur au lointain le tira de sa torpeur. Elle devint grondement, cliquetis, cris de bêtes et d'hommes. Il vit le ciel se hérisser de pointes. L'armée de Morte-Paye était en marche vers le royaume d'Opule.

Bouzouk s'ébroua, ramassa une nouvelle pierre, qu'il lança rageusement dans l'eau. Une seule chose était lumineuse. Une chose pour laquelle Martial de Morte-Paye était mort deux fois. Il la lança d'une voix forte :

– Je ne veux pas être soldard comme mon père !

Lui revenaient les mots de Malebasse, le charlatan du glacier de Mange-Morts. « Si jamais tu la retrouves, songe que ta mémoire ne te conviendra peut-être pas ! »

C'était exactement l'impression qu'il avait. Mais cela n'avait pas d'importance. Le passé n'était pas le destin…

Une main se posa doucement sur son épaule.

– Je t'apprendrai à rimailler, Bouzouk, dit Mille-Mots.

– D'amour, chuchota Bel-Essaim. Apprends-lui à faire des rimailles d'amour.

Troisième partie

Baroud

Chapitre 1

Depuis qu'ils avaient quitté le val de Berlue, et obliqué vers le nord, afin d'atteindre la frontière du royaume d'Opule, Bouzouk et ses compagnons chevauchaient dans des cendres chaudes. Les sabots de Ganachon soulevaient une sombre poussière, qui leur brûlait les trous du nez, malgré les étoffes humides enveloppant leurs visages.

Quelques rares arbres avaient résisté au feu. Leurs pauvres carcasses s'abîmaient sur le ciel rose et noir. Rien d'autre alentour que cet horizon de mort. C'était un spectacle effroyable. Mais pis encore était le terrible silence qui les entourait. Pas un chant d'oiseau, pas le moindre grésillement d'insecte. Comme si l'on avait versé du plomb fondu sur le paysage. Les voyageurs semblaient des fantômes flottant au-dessus d'un marais brumeux.

L'armée de Morte-Paye était pire qu'une nuée de criquaillons ratissant les champs de blute ! Bouzouk en pleurait de rage.

Mille-Mots, qui avait jadis combattu dans l'armée du Kron, expliqua :

– Vieille tactique de soldard. On brûle tout sur son passage. «Sus au-devant, rien par-derrière», disait le maréchon Ksr, mon chef d'escadron.

– Mais nous sommes en Kronouailles, protesta Bouzouk. Ces maudits bougnons saccagent leur propre pays !

– Le meilleur moyen d'enrôler des soldards à bon compte, fiston ! Sans masure ni récolte, que reste-t-il aux glébeux ? Hommes, femmes, enfants, tous s'engagent dans l'armée qui passe ! Ils fournissent l'avant-garde de la troupe. De la chair à bombardon...

– Tais-toi, Mille-Mots ! Tes bavotteries m'ennouillent ! tonna Bouzouk.

Penser que son père était responsable d'une telle barbarie lui flanquait la nausée. Que n'aurait-il pas donné pour tourner casaque, retrouver des contrées paisibles ! Pourtant il lui fallait poursuivre. Le deuxième tome de ses Mémoires était là-bas, quelque part au royaume d'Opule, entre les mains d'un soldard à barbe verte ! Que ça lui plaise ou non, la piste empruntait les traces abominables de l'armée de Morte-Paye.

La compagnie chemina jusqu'au soir, cinq ombres pâles dans la plaine fumante, sans rencontrer âme qui vive. Ils évitaient les nuages de cendres tourbillonnantes, qu'ils apercevaient parfois au loin. D'après Mille-Mots, c'étaient des hordes de frouilles s'échinant sur un cadavre. Avant même d'avoir commencé, cette guerre avait déjà son lot d'horreurs et de désolation.

Au crépuscule, ils étaient à une portée de flèche des gorges d'Zwmlgfsct, seul passage entre les Kronouailles et le royaume d'Opule. Pour l'avoir emprunté autrefois, Mille-Mots expliqua qu'il s'agissait d'un long défilé entre deux parois abruptes. Les défenseurs d'Opule pouvaient tout à loisir bombarder l'envahisseur de rocailles, goudron et ustensiles, ou lui verser de l'urine de skonj sur la tête. Voire pire : avant de rebrousser chemin avec l'armée du Kron, vaincue, Mille-Mots avait reçu sur le crâne force fiente de goutre – une puanteur à nulle autre pareille. Il avait empesté plus de dix lunes.

– Et tu pueras encore dans cent lunes, vieux bubon ! gloussa Bouffe-Bœuf.

Mille-Mots ignora l'insulte. Les quolibets du colosse ne l'effleuraient guère. Cependant, il se tourna vers Bouzouk.

– Je propose que Bouffe-Bœuf parte en éclaireur. Les pachyderches sont taillés pour le sacrifice.

– Ce fossile à poils durs a un de ces toupets ! rugit le Bougre, piqué au vif. Cours-y donc dans ce nid à poux, si tu y tiens !

– Paix, les coqs ! cria Bouzouk. Personne n'ira nulle part ! À moins d'avoir des ailes de gnour ! Biglez-moi ça !

Le jeune homme montrait l'intérieur du défilé.

– Par la barbulette de Gozar ! s'étouffa Mille-Mots. Comment est-ce possible ?

Il y avait de quoi s'étouffer, en effet. En face d'eux, pas la moindre once de défilé ! Rien qu'un énorme tas de rochers obstruant le passage. Les gorges d'Zwmlgfsct n'avaient plus de gorges que le nom. À force d'être imprononçables, elles avaient fini par disparaître.

CHAPITRE 2

ANÉANTIS, LES CINQ COMPAGNONS LORGNAIENT AVEC effroi cet enchevêtrement de roches et de pierres qui désormais barrait l'horizon.

Si une quelconque armée s'était engouffrée là-dedans, songeait Bouzouk, elle devait être à présent écrabouillée comme crépinette. C'était le lot des armées d'être transformées en purée de courge, mais celle-ci était commandée par Baroud de Morte-Paye. Malgré ses ressentiments envers lui, Bouzouk ne souhaitait pas à son père pareil destin.

Les quatre cavaliers mirent pied à terre et discutèrent longuement de la conduite à tenir.

D'un claquement d'orteil, Bouzouk aurait pu changer la pierraille en mousseline. Certes. Mais ne s'était-il pas engagé à n'user de ses pouvoirs qu'en cas d'absolue nécessité ? Était-ce là un cas d'absolue nécessité ? Nenni. Il n'avait en face de lui qu'un problème de physique : comment franchir un obstacle infranchissable ? Une question que tous les héros dignes de ce nom se sont posée un jour ou l'autre. Ce jour était arrivé.

Cependant il avait beau se tortiller les méninges à l'envers et à l'endroit, il ne trouvait pas de solution. Ni lui ni personne.

Bouffe-Bœuf proposa bien de creuser un souterrain, mais c'était pour rire. Quant à tenter une escalade, il n'en était pas question : les rochers étaient aussi lisses qu'un cul d'enfançon. Comme si une cohorte d'affûteurs les avaient polis à la meule.

C'est alors que Mille-Mots, muet jusque-là, sourit à se fendre les joues.

— As-tu déjà parlé aux pierres, Bouzouk ?

Le jeune homme haussa les sourcils.

— Je n'aurais pas grand-chose à leur dire, scri-brouillon.

— C'est que tu ignores la puissance du Verbe, mon ami. Un scribrouillon de mon espèce a parlé et parlé et encore parlé à tout ce que cette Terre a produit. Aux fleurs, aux oiseaux, aux murs des prisons, à la glaise du chemin...

— Cesse de bavotter à tort et à travers ! coupa Bouzouk. Use de ta soi-disant puissance ou tais-toi !

Mille-Mots toussota un brin, papillonna des paupières.

— J'ai fait battre bien des cœurs de pierre avec des mots d'amour, autrefois. Voyons si la rocaille sera plus dure à forcer !

Il trottina vers le défilé, sous l'œil amusé des quatre autres. C'était une chose que de manier joliment la métaphore, et une autre de déplacer les montagnes.

Parvenu au pied du chaos vertigineux, Mille-Mots le contempla longuement, d'un air tranquille. Enfin il ferma les yeux. Dans sa tête surgit une sarabande de lettres qui d'abord gigotèrent en tous sens, puis s'accouplèrent pour former des mots. De ces mots naquirent des images qui, à leur tour, accouchèrent d'autres mots. Le scribrouillon sentit des phrases arriver une à une, se mettre à la queue leu leu, résonner enfin sur sa langue.

Ô billes de géants au fond des précipices !

La voix de Mille-Mots était huilée comme tresse d'anguilles cuites.

Galets à chair de plomb ! Gravats, palets, pierraille
Nés de ravins barbares en de noirs édifices !
Caillasse, parpaings, moellons qui abreuvez la faille

Elle s'enflait peu à peu. Les mots semblaient sortir d'une gorge aussi vaste qu'un gouffre.

Vous êtes compagnons des vents qui tourbillonnent
Colliers de conques douces, coquillages qui coulent
Dans les mers du cosmos, vagues qui papillonnent
Grands oiseaux duveteux parmi les nues qui roulent

Mille-Mots levait ses maigres bras vers le ciel rouge. Il dansait. On eût dit qu'il avait brusquement cent ans de moins.

Vous êtes vapeur d'eau !
Vous avez plumes au dos !

Bouzouk et les autres se frottèrent soudain les yeux, bouches bées.

– Que Ggrok le Péteux m'asphyxie ! bafouilla Bouffe-Bœuf, et Bel-Essaim se serra craintivement contre l'encolure de Ganachon.

Car le chaos bougeait ! Imperceptiblement, mais il bougeait ! Il laissa d'abord échapper quelques soupirs de poussière ocre puis ce fut l'ensemble tout entier qui commença à trembler.

Je suis votre berger
Soyez mer ! Soyez geais !

Sans plus se retourner, vociférant son poème, Mille-Mots se mit en marche. Il avait l'air de ce qu'il disait, un berger. Son troupeau s'ébrouait ! Un à un, les rochers se détachèrent de l'énorme masse de pierre et s'en allèrent rouler derrière lui. Soulevant des nuages de poussière, la rocaille cahotait, traçait dans le sol un immense sillon.

Je vous mène au bercail !
Retournez aux entrailles
de la Terre
votre mère !

La voix de Mille-Mots s'éloignait. Bientôt sa silhouette disparut à l'horizon, loin devant la cohue des pierres qui caracolaient en silence. Peu à peu le défilé se vida, sans qu'on découvrît le moindre petit bout de soldard de l'armée de Morte-Paye. Bouzouk en fut soulagé.

Lorsque la lune apparut à l'est, elle éclaira des gorges d'Zwmlgfsct flambant neuves, prêtes à laisser passage à n'importe qui.

—Je jure de ne plus traiter Mille-Mots de vieille baderne ni d'outre à kohol, balbutia Bouffe-Bœuf.

Bouzouk opina du bonnet, et Ganachon, et Bel-Essaim.

Mille-Mots venait de gagner définitivement sa place parmi eux. S'il revenait, bien sûr.

ILS L'ATTENDIRENT JUSQU'AU PETIT MATIN. LE SCRIBROUILLON arriva d'un pas de trotte-menu, comme à l'habitude, bombant à peine son torse chétif. Il paraissait aussi peu épuisé que possible, alors qu'il n'avait pas dormi de la nuit. Au contraire ses yeux pétillaient de plaisir. Voilà si longtemps qu'il n'avait pas usé de mots ! De vrais mots de scribrouille ! Comme autrefois !

Bouzouk, impatient, l'apostropha de loin.

– Qu'as-tu fait des rochers, poète ?

– Ce que j'ai dit. Je les ai conduits dans le ventre de la Terre, là d'où ils venaient. Je suis sûr qu'ils m'en seront reconnaissants.

Mille-Mots parlait d'un des innombrables volcans éteints qui parsemaient la vallée. Le plus difficile avait été de faire sauter le premier rocher. Mais les vers du scribrouillon avaient fait leur œuvre. À sa suite, la masse pierreuse était tombée en pluie à l'intérieur.

– Tu m'as espantouillé, l'ami, grogna Bouffe-Bœuf. Par Gozar le Barbon, c'est de la belle ouvrage !

– Bah ! La rimaille n'est pas que bavotte, soupira Mille-Mots, modeste.

Bel-Essaim se pendit au cou du vieillard et l'embrassa à pleine bouche, le faisant rougir comme blute au soleil.

Ganachon interrompit le concert de louanges d'un « Pressons, pressons, mes amis ! » qui fouetta la compagnie. Il était temps en effet d'agir. Les gorges d'Zwmlgfsct étaient redevenues ce qu'elles étaient, mais qu'allaient-ils en faire ? Les franchir comme si de rien n'était ? Et si les gens d'Opule en garnissaient les crêtes, prêts à faire dégringoler des barriques de rocaille sur les passants ?

Les deux Bougres et Mille-Mots penchaient pour la prudence, mais Ganachon secoua la tête.

– Le défilé a été obstrué pour empêcher la retraite de l'ennemi. Infranchissable. Il n'avait donc plus besoin de défenseurs. Passons sans crainte.

– Tu as l'air sûr de toi, dit Bouzouk.

– Un jour, cavalier, je te raconterai comment j'ai vaincu l'armée du grand stratège Proutz, rien qu'en lisant le menu de la cantine. L'art militaire n'a aucun secret pour moi. Passons sans crainte, te dis-je.

Quand Ganachon parlait sur ce ton-là, personne n'était en mesure de discutailler. Ils s'engagèrent donc l'un derrière l'autre dans le défilé, serrant les fesses plus que de raison, les yeux rivés sur les crêtes. Bouzouk en tête, Ganachon fermant la marche.

Ainsi que l'avait prédit le cheval, il ne leur tomba rien sur le crâne, à part quelques étrons de frouilles. Mais tous sentaient qu'en passant les gorges d'Zwmlgfsct, ils s'engageaient vers un destin improbable. Celui des vainqueurs d'obstacles infranchissables, celui des perce-murailles. Des gens venus de nulle part, des gens qu'on n'attend pas.

La couche de cendres chaudes avait disparu. Comme il n'y avait rien à brûler ici, l'armée de Morte-Paye s'était contentée de labourer, défoncer, ratatiner le sol. Plus un brin d'herbe. L'effroyable masse des hommes et des chevaux en armes avait remplacé le feu.

Bouzouk et les siens mirent presque un jour entier à franchir la passe. Le soir, lorsque l'horizon s'élargit enfin, ils avaient les pieds et les sabots échauffés d'avoir piétiné un sol si dur. Loin au-dessus de leurs têtes planaient des gnours.

De nouveau, ils marchaient sur des cendres chaudes. Cuisantes, même. Morte-Paye et ses soldards n'étaient pas loin.

– Nous allons pouvoir bigler la bataille, dit Bouffe Bœuf avec gourmandise. Si mes Bougres étaient là, ils s'en pourlicheraient les babilles ! Bigresanguine ! une échauffourre pareille !

Ganachon ricana.

– Il n'y aura pas de bataille, mon bon.

– Deux hordes de soldards face à face et pas d'échauffourre ? Tu rêves, canasson !

Le colosse se tapait sur les cuisses en s'esclaffant. Bouzouk et les autres attendaient la suite.

– Réfléchis, tête à pitre ! C'est à dessein qu'on a laissé Morte-Paye franchir les gorges d'Zwmlgfsct. Crois-tu que les gens d'Opule auraient laissé passer pareille armée pour l'affronter ensuite sur le champ de bataille ? Knut le Fourbe a dû préparer un de ses horribles traquenards. La pierraille qui bouchait le défilé en est la meilleure preuve.

– Ganachon a raison, approuva Mille-Mots. J'ai combattu autrefois Knut le Chafouin, le père du père de Knut le Fourbe. Jamais de bataille rangée, ni d'affrontement. Escarmouches, guets-apens, embuscades, ruses infâmes, voilà la stratégie des gens d'Opule.

Il baissa le ton pour ajouter :

– Ton père court à la catastrophe, mon garçon. Peut-être même qu'à l'heure qu'il est…

– Peu m'importe le sort de mon père, coupa Bouzouk. Je cherche un grimoire.

En disant cela, il avait la voix qui tremblait. Au fond, savait-il vraiment ce qu'il cherchait ?

– Allons ! grogna-t-il.

Ils se remirent en route dans le paysage fumant. Mais à peine eurent-ils parcouru quelques coudées qu'un bruit de galop résonna au lointain.

– Des chevaux sans cavalier, murmura Ganachon, qui avait l'oreille fine.

Le bruit enfla, s'amplifia jusqu'à devenir un lourd grondement, jusqu'à ce que soudain l'horizon ne soit plus qu'un vaste front de chevaux caracolant. Des montures sans cavalier, comme Ganachon avait dit. Au pourpre des lambeaux d'étoffes qui flottaient encore autour de quelques-uns, Bouzouk reconnut les destriers de l'armée de son père.

Tous les cinq s'abritèrent derrière un gros rocher, afin d'éviter d'être concassés par les bêtes.

Le flot passa autour d'eux dans un nuage de poussière et de terre. Les chevaux avaient les yeux fous et vides. Ils bavaient de l'écume blanchâtre. Le plus curieux était ces filaments grisâtres accrochés à la selle et à ce qui restait de leur caparaçon. Des effiloches visqueuses, gluantes – puantes de surcroît.

– Les Bblettes ! Les gens d'Opule utilisent des Bblettes pour combattre ! hurla Mille-Mots.

LES BBLETTES ! LE MOT AVAIT JAILLI DE LA GORGE DU scribrouillon comme un flot de bile. Bouzouk et les deux Bougres, sans rien en connaître encore, comprirent qu'on touchait là à l'innommable !

Ganachon savait, lui. Un rictus de dégoût déforma ses naseaux. Ainsi les gens d'Opule avaient lâché une horde de Bblettes sur l'armée de Morte-Paye !

– Je crains que tes poèmes ne soient impuissants contre cette abomination, Mille-Mots !

Comprenant que les mots ne suffiraient pas, Bouzouk ravala ses questions. Il bondit sur le dos du cheval.

– Mène-moi là-bas, mon ami. Que je sache vite.

Ils partirent tous deux au grand galop, sans que les trois autres, pétrifiés par ce qu'ils venaient de voir, fissent un geste pour les accompagner.

Ils croisèrent encore quelques bourriques aux yeux fous, toujours sans cavalier. Puis d'autres ombres émergèrent du brouillard de cendres et de fumeroles. Des hommes, cette fois, à moitié nus, titubant. Bouzouk héla le premier d'entre eux.

– Où en est la bataille, soldard ?

L'autre continuait à avancer, d'une allure saccadée. Son regard était fixe, vide.

– Il ne répondra pas, dit Ganachon. Il a les entrailles et le cerveau rongés par les Bblettes. Que Gozar l'assiste !

Bouzouk se pencha pour attraper l'épaule du soldard. Il retira vivement sa main. Ce qu'il venait de toucher n'avait plus rien d'une peau d'homme. C'était flasque, glaireux. Le soldard fit encore quelques pas et s'effondra. Son corps tressaillit plusieurs fois puis s'immobilisa.

– Quand la bataille sera finie et les soldards vidés, les Bblettes ratisseront la plaine, cavalier. En une heure il ne restera rien de ces hommes, ni de leurs chevaux. Même pas les os. Les Bblettes sont des combattants de premier ordre et d'admirables charognards. Elles ne craignent qu'une chose : le feu. Sache-le.

Bouzouk sentait un haut-le-cœur lui labourer le ventre depuis l'intestin grêle jusqu'à l'œsophage. Il résista tant bien que mal et hurla à Ganachon de poursuivre. Ils louvoyèrent entre les fantômes de soldards encore debout, les chevaux à l'agonie, les cadavres figés dans d'atroces postures. Le tout exhalant une puanteur infernale. Plus ils avançaient, plus l'horreur était palpable. C'était donc ça, la guerre ? Ce magma grouillant de folie, de terreur, de pourriture ! Ganachon le pressait de faire demi-tour, mais Bouzouk voulait toujours aller plus loin.

– Je veux voir à quoi ressemblent les Bblettes afin de savoir qui combattre le moment venu.

Ganachon aurait pu le lui dire. Les Bblettes étaient de sombres créatures, sans chair ni os, impalpables, comme déchirées dans le manteau de la nuit. Ceux qui les avaient vues en parlaient avec des accents d'épouvante. On disait qu'elles étaient les ombres de guerriers d'un autre monde.

Ganachon savait cela. Mais il savait aussi qu'un fils qui cherche son père n'a que faire des conseils d'un canasson bavard.

Franchissant le sommet d'une butte, ils parvinrent à l'orée d'une forêt aux arbres gigantesques. Troncs et feuillage noir d'encre, racines noueuses, serpentines. Ceux-là avaient résisté au feu. D'ailleurs les flammes semblaient s'être arrêtées ici, à la lisière des arbres. Comme si elles avaient été soudain incapables d'en dévorer le bois.

Le chemin trouait la forêt et disparaissait dans la pénombre. Aux ornières profondes, aux empreintes, aux lambeaux de maille parsemant les taillis, on voyait bien que l'armée de Morte-Paye était entrée ici. Probablement pour ne plus en ressortir. Les Bblettes affectionnaient ce genre de lieu, obscur, humide, foisonnant.

Cheval et cavalier s'avancèrent pas à pas, l'œil aux aguets. Ganachon prépara quelques crocrottins à expulser, Bouzouk s'entoura le bras de sa capille pour parer à toute attaque. Dérisoire défense si l'on songe à l'état dans lequel les Bblettes avaient laissé les soldards de Morte-Paye. Mais les troncs noirs défilaient le long du sentier sans que rien se passât. Rien d'autre que la forêt s'assombrissant plus encore. Jusqu'à devenir plus noire qu'une nuit sans lune. Seule la voûte des arbres, au-dessus d'eux, laissait passer une chiche lumière. Pourquoi alors le sol était-il plongé dans l'obscurité ?

– Je sens une présence, murmura Bouzouk.

Une présence ! Ganachon aurait pu sourire du mot, s'il n'avait eu la mâchoire plutôt crispée. Il se borna à dire :

– Les Bblettes sont autour de nous, cavalier. Elles nous cernent comme ténèbres.

–Montrez-vous ! hurla Bouzouk en faisant tournoyer sa capille.

–Calme-toi, siffla Ganachon. Veux-tu qu'elles t'encoconnent comme ce qui pend là-haut ?

Bouzouk leva doucement la tête et son cœur tressauta. Aux premières branches de chaque arbre étaient suspendus d'énormes cocons blanchâtres, emmaillotés de filasses visqueuses qui pendouillaient en tremblant. La forme de chaque cocon ne permettait pas le moindre doute.

Chacun d'eux contenait un être humain.

–Ceux-là sont vivants, dit Ganachon. Les Bblettes ont commencé leurs réserves d'hiver.

Bigrelots ! cette forêt sinistre avait été un monstrueux, un atroce traquenard ! À mille lieues des batailles flamboyantes dont rêvent les guerriers.

–On fait discrètement demi-tour ? suggéra Bouzouk d'une voix à peine audible.

–Ne dis donc pas de sottises, cavalier. Les gnours ont dû rapporter notre arrivée. Si nous sommes encore en vie, c'est qu'ordre a été donné aux Bblettes de nous conduire au château du roi. Comme l'a probablement été ton père, rassure-toi. Knut le Fourbe veut te voir de près, car tu l'intrigues.

–Ne confondons pas ! plastronna Bouzouk. C'est moi qui veux voir Knut le Fourbe ! Et non l'inverse, par Zout !

U SORTIR DE LA FORÊT, DANS LA LUMIÈRE PÂLE DU SOIR, ils purent enfin voir les Bblettes qui leur faisaient cortège. Entrevoir serait plus juste, car le regard n'arrivait pas à se poser sur elles. C'étaient des ombres d'une noirceur de gouffre. Des ombres palpitantes, qui flottaient, tressaillaient, sans jamais rester en place. Elles avaient vague forme humaine, par moments déformée, comme si un vent venu d'ailleurs les faisait frémir. Leurs yeux rouges, flamboyant sans cesse, étaient terrifiants.

Derrière eux, d'autres Bblettes traînaient les cocons aperçus dans les arbres, tels de vulgaires ballots.

C'est ainsi, encadrés par une horde d'ombres épouvantables, que Bouzouk et sa monture atteignirent le château du roi d'Opule. Le décor changea soudain.

C'était une de ces bastides grotesques à force d'être alambiquées, biscornues. Elle avait l'air d'un gros gâteau d'anniversaire, flanquée de cent tourelles en guise de bougies et de toits onctueux comme crème. Un donjon central, aux murs roses, coiffé d'un galurin de tuiles vertes, surplombait le tout.

Lorsque Bouzouk passa sous le portail de jade, des oiseaux mécaniques jaillirent des murs en pépiant des airs guillerets. C'était charmant. La cour du château était parsemée de petits buissons mauves et les allées tapissées de cailloux caca d'or. Çà et là, des jets d'eau colorée jaillissaient de vasques cristallines. Au centre de la cour, un grand bassin laissait voir dans ses eaux bleues des poiscailles d'un rouge vif.

Knut le Fourbe avait des goûts surprenants pour un chef de guerre. Il s'exhalait de cet endroit une odeur reconnaissable entre toutes : celle de la richesse. Le petit royaume d'Opule semblait baigner dans un luxe inouï.

Sur l'énorme perron qui surplombait la cour, une foule de personnages, vêtus d'habits chatoyants, et chapeautés de coiffes multicolores, observaient les nouveaux venus. Les uns portaient des dominos, d'autres des voilettes. Certains avaient la figure grimée, pailletée. La cour de Knut le Fourbe au grand complet. Point de valetaille, point de garde : les courtisards jouaient tous les rôles, ici. Certains dégringolaient déjà l'escalier du perron pour accueillir les arrivants.

Il ne manquait en tête du cortège des Bblettes que des hérauts sonnant trompettes pour que les deux captifs ressemblassent à des ambassadeurs en visite. Bouzouk se tenait fort droit, sans montrer une once d'affolement. Ganachon marchait le plus paisiblement du monde.

Le spectacle dut plaire aux courtisards, qui applaudirent bruyamment. Après les horreurs qu'on venait de vivre, la scène était hallucinante. À se demander si tout ici n'était que fanfreluches et frivolités, tant cet univers-là semblait truffé de guimauve et d'eau de rose.

La procession s'arrêta et les Bblettes ne se préoccupèrent plus que de leurs cocons. Tels des formillions charriant leurs œufs, poussant, tiraillant, elles chemi-

156

nèrent vers des escaliers qui s'enfonçaient dans le sol. Il y eut dans la cour du château un sinistre ballet d'ombres brouillées, de filaments glaireux. Les Bblettes entreposaient leurs victimes dans les caves du château, afin d'avoir une réserve de chair humaine pour les jours maigres.

Il n'y avait plus à présent dans la cour que les deux prisonniers, face aux courtisards qui babillaient sur le perron.

– En voilà plus qu'assez, perruchailles à crête de stuc ! Cessez vos bavotteries et conduisez-nous auprès de Knut le Fourbe !

Bouzouk avait crié assez fort pour que le caquetage s'interrompît net. Il y eut une seconde de silence puis un rire énorme secoua les courtisards, qui dévalèrent l'escalier pour entourer Ganachon et son si facétieux cavalier.

– Tu veux me voir, freluque ? Me voilà ! pérora un nabot aux épaules couvertes d'une capille pailletée.

Bouzouk soupira. Voici donc qui était le vainqueur de son père. Un petit Pouf clinquant ! Un ragotin ! Un…

– Bavotte, crapaud ! Par ma couronne, je t'écoute ! grinça un grand gaillard aux lèvres peintes en bleu.

Par Zout ! Y aurait-il deux rois d'Opule ? songea Bouzouk.

– Que viens-tu faire ici, dans mon château, beloiseau ?

Trois ? Un avorton, un géant, une damoiselle ? Bouzouk n'y comprenait plus rien.

Puis tout le monde se mit à jacasser de nouveau, chacun, homme ou femme, prétendant tour à tour être Knut le Fourbe, roi d'Opule. S'insultant, se griffant, se giflant, s'étrillant !

– Simple roublardise ! chuchota Ganachon. En brouillant les pistes, Knut le Fourbe te met à l'épreuve. Il essaie de t'entourniquer le jugement. Il veut savoir qui tu es sans se démasquer.

Belle manœuvre. Knut le Fourbe était digne de sa dynastie royale – les Knut le Retors, Knut le Chafouin, Knut le Cauteleux et autres Knut le Vicelard des temps passés. Tout ici n'était que trompe-l'œil ! Jusqu'à cette mascarade jouée par ces bavottons empanachouillés !

– Partons ! tonna Bouzouk. Knut le Fourbe n'est qu'un pet de skonj ! Qu'il se terre parmi les ombres ! À force d'inconsistance, le roi d'Opule finira par n'être plus rien qu'une bouillie pour les frouilles !

Ganachon opina, émit un vent méprisant et fit demi-tour dans un silence de mort.

– Oublies-tu que je viens d'écrabouiller l'armée de Morte-Paye ? dit une voix nasillarde.

Avec un sourire de triomphe, Bouzouk se retourna. Sa ruse avait réussi. Celui qui venait de parler ôta son loup pourpre. Aucun doute. Jamais visage ne fut plus chafouin, regard plus perfide, bouche plus veule. Celui-là était bien Knut le Fourbe.

Le roi d'Opule vit le sourire sur les lèvres de Bouzouk. Il comprit qu'il avait trouvé plus malin que lui et en fut offusqué.

– Qui que tu sois, freluquon, tu viens de signer ta perte !

Se tournant vers des interlocuteurs invisibles, il tonna :

– Par le nombril de Ggrok ! Qu'ils soient donc encoconnés, eux aussi !

Des ombres de la cour surgirent d'autres ombres, aux yeux rouges, qui cernèrent les deux amis comme une meute de pouaques ! Bigremort ! les Bblettes étaient vraiment partout ! Elles pressèrent le flanc de Ganachon, l'acculant contre un mur. Le dépouillant de son bât comme des brigands de bas étage ! Puis elles crachèrent leur salive glaireuse sur leurs proies, dans un épouvantable glouglou. Tout cela à une allure si stupéfiante que Bouzouk ne put agiter le moindre orteil, afin d'user de sa magie. Cavalier et monture roulèrent sur le sol, empêtrés parmi les méandres de filasse.

Encoconnés jusqu'au cou !

FAIRE PARTIE DU GARDE-BOUFFAILLE DE CRÉATURES AUSSI abominables que les Bblettes avait de quoi inquiéter n'importe qui. Même un Bouzouk et un Ganachon. Durant des lunes et des lunes, emmaillotés dans leur cocon, ils allaient attendre le bon vouloir des charognards, mourant de faim, de soif, au fond de caves obscures. Tous deux rendus aveugles, sourds et muets par les filaments visqueux s'insinuant sous leurs paupières, dans leurs oreilles, autour de leur langue. Sans parler des orteils, qui étaient incapables du moindre petit mouvement. Comme promis, Bouzouk n'abusait pas de sa magie de Petit Gourougou. Et même, il n'arrivait pas à en user. Ganachon et lui étaient cuits et pis que cuits.

Cependant Knut le Fourbe, au milieu de sa cour de busards pomponnés, se rongeait de curiosité. Certes, ce morbec l'avait agacé, avec cette pauvre ruse à laquelle lui, le roué des roués, s'était fait prendre, par un sot orgueil. Certes, ce bimbochon méritait mille fois d'être jeté aux Bblettes, lui et son bourricot monstrueux, mais tout de même. Tout de même, se disait-il. Il émanait de lui un tel parfum de mystère! Et ce rubiole au petit doigt! La même que celui qu'il avait vu au doigt de Morte-Paye, ce gredard désormais encachotté, pieds et poings liés de bonne chaîne! Quel rapport pouvait-il y avoir entre ces deux-là? Pourquoi le freluquon ne portait-il pas d'armoiries cousues sur sa cotte? Ni celles de Morte-Paye et de ses alliés, ni celles du Kron. Comment avait-il passé les gorges d'Zwmlgfsct tout encailloussées?

Knut le Fourbe se gratta et se gratta la tempe, sans trouver de réponse à ses questions. À la fin, il n'y tint plus. Accompagné de ses courtisards, qui ne le quittaient jamais d'une chausse, il descendit dans les caves du château.

Les Bblettes avaient le sens de l'organisation; les cocons étaient classés par ordre d'arrivée, numérotés et répertoriés dans un grand livre de compte. Ainsi les charognards pouvaient-ils choisir parmi les encoconnés les plus récents s'ils aimaient la chair tendre, ou les plus anciens s'ils préféraient la vieille carne. Bouzouk et Ganachon étant les derniers arrivés, il fut aisé de les retrouver. Ils reposaient dans la douzième cellule.

Knut le Fourbe démêla lui-même le cocon de Bouzouk.

Les Bblettes chargées de la garde du stock regimbèrent, mais le roi leur promit discrètement quelques courtisards passés de mode ou trop bavards. Knut le Fourbe était un maître en perfidie, trahison, reniement, félonie, parjure et scélératesse. Sans oublier l'art difficile de la duplicité et de la bassesse, dans lequel il excellait.

– Tes oreilles sont-elles déboutonnées, rouard?

Bouzouk bâilla, se frotta les paupières, s'étira longuement les jambes, les bras. Il leva les yeux sur la belle tête torve du roi d'Opule.

– Par Zout le Pétochard ! gloussa-t-il. Te voilà encore encollé de tes volailles qui jabotent comme pintades ! Te suivent-elles donc aussi dans ton cabinet d'aisances ?

L'insulte fit caqueter la basse-cour, que Knut le Fourbe interrompit d'un geste agacé. D'un autre, il les chassa hors de la cellule puis croisa les bras d'un air de défi.

– Je suis seul, merlutin ! Mais sache qu'un mot de moi et les Bblettes te rongent cervelle et entrailles. À présent, parle ! Qui es-tu ? D'où viens-tu ? Où vas-tu ?

– Si je le savais, je ne serais pas ici, roi d'Opule.

L'autre plissa le front.

– Tu parles par énigmes, comme les Phaonx ! Sois plus clair.

– C'est que je ne suis personne, roitelet ! Tu as devant toi un voyageur sans passé et même sans avenir, juges-en : voilà trois jours que mon père m'a mis en terre !

La rage saisit Knut le Fourbe. Ce fieffé rouquin le prenait-il pour un niquedouille ? Tant pis pour lui !

– Aux Bblettes ! Aux Bblettes ! brama-t-il.

Mais cette fois Bouzouk était sur ses gardes. Avant que les monstres ne surgissent, le jeune homme, d'un coup d'orteil, hop ! obstrua la porte béante de la cellule par un rideau de feu, qui tint les Bblettes à distance. Ganachon avait raison : elles redoutaient les flammes.

Knut le Fourbe, plus blême qu'une paire de lunes, regardait son prisonnier avec épouvante. Un mage, par les papilles de Ggrok ! Il était entre les mains d'un mage !

Vu les circonstances, Bouzouk avait estimé qu'il s'agissait là d'un cas d'absolue nécessité. Il avait donc usé de ses pouvoirs de Petit Gourougou.

– Tu… tu n'as pas le droit, bafouillait Knut le Fourbe. Des mensonges, des veuleries, des fripouilleries, tant que

tu veux. Mais pas de magie ! Les lois de guerre l'inter-
disent !

Les lois de guerre ! Bigrecul ! Bouzouk s'asseyait dessus à pleines fesses ! Il aurait aimé avoir mille paires de
fesses pour mieux s'asseoir dessus encore ! Comme si la
barbarie pouvait avoir un règlement !

Il s'approcha du roi et, le secouant rudement par le
jabot, lui parla sous le nez.

– Je ne suis pas en guerre, crapulon ! Je suis en quête
de moi-même ! À ce jeu, tous les coups sont permis !

CHAPITRE 7

GANACHON ÉTAIT BIEN UN PEU ENGOURDI LORSQUE Bouzouk l'extirpa du cocon, mais d'excellente humeur. Il fit quelques étirements de croupe et d'encolure, déclara qu'il n'avait jamais aussi bien dormi. Puis, apercevant le roi d'Opule recroquevillé dans un coin, il fut bien près de lui fracasser le crâne à coups de sabots, comme l'eût fait un vulgaire canasson. Bouzouk, qui avait d'autres projets, l'en empêcha.

Knut le Fourbe demanda d'une voix fluette s'il pouvait espérer qu'on le libère contre rançon. Il était prêt à verser cent mille brouzes. Bouzouk ricana.

– Cent mille brouzes! Tu t'estimes beaucoup, crapion! Pour moi, ta carcasse ne vaut pas un grain de blute! Je te propose un autre marché : ta morne existence contre celle de Morte-Paye et de son armée. Du moins ce qu'il en reste.

– Jamais les Bblettes n'accepteront. Elles ont besoin de réserves.

– Tu es le roi d'Opule. Elles plieront.

Knut le Fourbe se redressa. Le cavalier avait raison. Il payait les Bblettes assez cher pour s'en faire obéir. Elles

165

céderaient. Il leur ferait miroiter de grosses compensations. Une autre guerre, par exemple, plus fructueuse encore en cervelles et entrailles. Il y avait à l'est un peuple de laboureurs paisibles, les Perpères, dont il pourrait faire mine de convoiter les terres.

Des promesses, au cours de sa vie, Knut le Fourbe en avait fait quelques brouettes. Pas une seule n'avait été tenue – sa fierté. Les Bblettes tomberaient dans le panneau, comme les autres. Qu'il était goûteux d'enfiler des promesses comme perles sur un fil et de berner son monde.

– Tope là, dit-il. J'accepte le marché.

– Bien sûr, tu n'as qu'une parole.

– Tu en doutes ?

– Pas un instant, fripouillard. Mais sache que Ganachon croquine volontiers les menteurs et les fanfarons. C'est sur son dos que tu parlementeras.

Knut le Fourbe grimpa en maugréant sur Ganachon et Bouzouk fit cesser le rideau de flammes. Ils sortirent prudemment de la cellule. D'une voix forte, le roi d'Opule claironna qu'en aucun cas il ne fallait toucher à un cheveu des très chers amis qui l'accompagnaient. Ajoutant que le chef des Bblettes était convoqué séance tenante dans la grande salle du conseil.

Ils passèrent entre deux haies d'ombres frémissant de haine et de rage, mais qui ne bronchèrent pas. Les Bblettes étaient des mercenaires dociles. Tant qu'elles ignoreraient les termes du marché, songeait Bouzouk, qui craignait la suite.

Mais c'était méconnaître les qualités de camelot du roi d'Opule, qui, à califourchon sur Ganachon dans la salle du conseil, brassa du vent à bouche que veux-tu. Il promit au maître des Bblettes des batailles faciles, un empire à conquérir, ainsi qu'entrailles et cervelles drues comme champ de picons ! En comparaison des Perpères, conclut-il, l'armée de Morte-Paye n'était qu'un en-cas de pansepiètre !

Il y eut un moment de terrible silence, pendant lequel les yeux du monstre rougeoyèrent comme deux braises vives. Puis il opina du bonnet, convaincu, semblait-il. Tout allait donc pour le mieux lorsque la cour du château retentit d'épouvantables beuglements. Les quatre négociateurs se précipitèrent à l'une des croisées de la salle du conseil. Pour apercevoir, l'œil pantelant, Bouffe-Bœuf, Bel-Essaim et Mille-Mots, cernés par un cercle de Bblettes au milieu de la cour, et brandissant épées, masses d'armes, piques. Tous trois agonissaient d'insultes leurs adversaires.

La voix de Bouffe-Bœuf vibrait de colère.

– Où avez-vous mis Bouzouk et Ganachon, faces de lunes noires ?

– Rendez-moi mon mignard ! Corbaillons ! Croupions de gnours ! criaillait la Bougresse.

Quant à Mille-Mots, il tonnait des « Ô ombres mollassonnes ! » et des « Ô risibles ténèbres ! » à lézarder un mur.

La négociation capota illico. Le chef des Bblettes se mit à meugler que désormais, le roi d'Opule s'échangerait contre ces trois pignoufs. À prendre ou à laisser.

Maudissant le stérile courage de ses trois amis, Bouzouk empoigna le roi par le col et sortit dans la cour, Ganachon à ses côtés. Le chef des Bblettes avait déjà rejoint les siens, qui formaient un rempart noir et silencieux autour des deux Bougres et du scribrouillon. À la vue de leur ami, le trio poussa des hurlements de triomphe, qu'interrompit Bouzouk d'un geste rageur. Par Zout le Bilieux ! La colère l'étouffait. Quels touilleurs de purolle ! Moins futés qu'une anse de cruchon ! Mais les voyant si heureux de le retrouver, Bouzouk sentait fondre son cœur.

Tout le monde fut mis au courant de la nouvelle situation. Le cercle des ombres s'ouvrit pour livrer passage aux trois amis et permettre à Bouzouk d'y pousser Knut le Fourbe.

Ainsi fut fait et l'échange eut lieu.

Puis le chef des Bblettes ricana. Ses yeux devinrent deux points fulminants. Il y avait désormais dans la cour du château une centaine de Bblettes faisant face à quatre pignoufs et un canasson grotesque. Autant dire que la partie était inégale.

Mais Bouzouk apprenait vite, au contact d'une engeance pareille. Il comprit que les dés étaient pipés, et le marché de dupes. Puisqu'il s'agissait là d'un cas de force majeure, il remua l'orteil, hop ! et alluma au milieu de la cour un gigantesque feu, qui chauffait comme les mille braseros de Mmolloche ! Puis, gonflant ses joues d'un vent terrible, il souffla sur les Bblettes et les envoya au beau milieu des flammes. Toutes, chef compris ! Par Zout le Queux, quelle grillade cela fit ! et quel vacarme ! Les ombres se tortillèrent au milieu du brasier, en grésillant avec un bruit effroyable. Dans l'épaisse fumée qui plomba le ciel, on crut entendre des mots d'un autre monde, des mots qui tournoyèrent longtemps au-dessus du château, comme de sombres oiseaux.

Bigrecornu ! Bouzouk commençait à prendre grand plaisir à user de ses pouvoirs de Petit Gourougou ! Sous les hourras de ses compagnons, il alla vérifier les effets de sa magie.

C'était effroyable. Dans le feu qui se mourait déjà, faute d'aliments, il n'y avait plus que des rognures noirâtres, puantes, agitées d'ultimes soubresauts.

Les vainqueurs de l'armée de Morte-Paye avaient vécu.

CHAPITRE 8

EN FIN STRATÈGE, GANACHON S'EN FUT FERMER LE PORTAIL de jade et cloua des planches sur toutes les meurtrières des remparts. Qui sait s'il n'y avait pas d'autres Bblettes battant la campagne proche ? Ou des gens d'Opule prêts à prendre les armes pour délivrer leur monarque ?

Ce fut le moment que choisirent les courtisards pour réapparaître. Un à un, ils surgirent de sous les armoires de la salle du conseil, où ils s'étaient réfugiés dès le début des hostilités. Ils se précipitèrent vers Bouzouk, bouche en cœur et, avec mille courbettes, lui jurèrent soumission, obéissance, fidélité. Puis chacun d'eux saisit une poignée de cailloux et entreprit de lapider Knut le Fourbe. Bouzouk les en dissuada. Le roi d'Opule avait quelques secrets à céder. Tout d'abord sur l'endroit où il avait enfermé Morte-Paye et ses capitaines.

Puisque les courtisards avaient retrouvé leur allant, qu'ils aillent donc chercher les centaines de cocons entreposés dans les caves, ordonna Bouzouk. Cela sous la houlette de Bouffe-Bœuf. Bel-Essaim fut chargée d'en démailloter le contenu, femmes, enfants ou soldats. Puis le jeune homme saisit l'oreille gauche de Knut le Fourbe et la tire-bouchonna.

– Mène-moi où tu as cloîtré mon père, pet de prout ! Et vite !

L'autre le regarda avec effroi. Son père ! Morte-Paye était son père ! Voilà qui expliquait le rubiole au doigt ! Le roi comprenait maintenant la froide détermination de Bouzouk. Un fils cherchant son père ! C'était pire qu'un skonj affamé ! Knut le Fourbe trottina vers le donjon sans un mot. Mieux valait coopérer, en attendant son heure. Il y a toujours place pour une perfidie, avec le temps qui passe et ronge la méfiance, se disait-il.

Tandis que Ganachon faisait le guet sur les remparts, Bouzouk et le roi grimpaient quatre à quatre l'escalier de pierres qui colimaçonnait au centre du donjon. Ils passèrent devant des portes scellées, où croupissaient Saint-Doublon, Croupe-Duc, Barberolle. Bouzouk les ignora. Seule la dernière l'intéressait, dont il manœuvra fébrilement le lourd loquet.

La porte cloutée de fer s'ouvrit, découvrant un homme enchaîné, qui darda des yeux de fauve sur les arrivants en hurlant :

– Si tu viens m'achever, rabougri, tu verras comment meurt un Morte-Paye !

Bouzouk fut ébaubi. Tout entravé qu'il était, poignets et chevilles cerclés de fer, Baroud de Morte-Paye semblait être debout et toiser l'adversaire.

– C'est moi, dit Bouzouk sobrement.

Et il poussa devant lui le roi d'Opule pour bien montrer qu'il avait la situation en main.

Aucune surprise ne s'alluma dans les yeux du père. Comme s'il trouvait la présence de son fils parfaitement

172

normale. Il regarda Knut le Fourbe avec un profond dégoût, puis aboya à l'adresse de Bouzouk:

– Ôte-moi ces bracelets, par Ddrôg! Que je reprenne forme d'homme!

Le roi d'Opule fouilla fébrilement ses chausses et en sortit un trousseau de clés qu'il tendit à Bouzouk.

– Enferme-moi dans une geôle avant de le détacher, gentil pipounet, ou il va me mettre en pièces à la seconde où il sera libre.

– C'est bien possible, fils de pouaque! siffla Morte-Paye. Un freu de ton espèce mérite mille morts! Peut-être plus!

Bouzouk fit sonner le trousseau pour attirer le regard de son père. Il s'efforçait d'être calme, sûr de lui.

– Je ne vous libère qu'à une condition.

– Tu poses des conditions? s'étrangla Morte-Paye. À ton propre père?

– Je ne vous libère, poursuivit Bouzouk, que si vous jurez de renoncer à la vengeance. De retourner dans les Kronouailles, au château de Morte-Paye, vous, vos capitaines et le reste de votre armée. Sans combattre quiconque, sans rien brûler, ni piller, ni violer! Jurez-le.

Un instant éberlué, Morte-Paye fixa son fils d'un œil assassin.

– Pendant un instant, j'ai cru que tu étais redevenu un Morte-Paye. Je vois que tu es de la race de cette frouille malfaisante qui mendie sa misérable vie. Ô combien j'ai eu raison de t'enterrer par deux fois! Que Ggrok te fouasse de fiente, toi et tes semblables!

Ayant éructé un dernier juron, Baroud de Morte-Paye se retourna vers le mur. Par Ddrôg! S'il fallait qu'un guerrier renonce aux plaisirs de la guerre, songeait-il, c'était la fin du monde ! Tuer, brûler, piller, violer faisaient partie des menus charmes d'un métier difficile. Un métier où la solde se faisait rare. Où les lendemains étaient incertains. Son fils avait de la morve de baribou dans le crâne !

– Bien. Je vous laisse à la méditation, qui fait le sel de l'existence, dit Bouzouk, et il quitta la cellule, Knut le Fourbe sur ses talons.

La porte claqua comme une hache sur un billot.

– Fils, je le jure ! hurla Morte-Paye. Sors-moi de ce putrin ! Je jure tout ce que tu voudras que je jure !

Bouzouk, qui attendait derrière la porte, s'en fut délivrer son père, après lui avoir fait jurer sur la tête de Wûul, le dieu des serments, toutes les choses qu'il avait dites. Puis ils redescendirent l'escalier, libérant au passage les trois capitaines, auxquels Bouzouk fit jurer les mêmes choses qu'à son père. Knut le Fourbe se demandait comment ces quatre fauves de guerre pourraient longtemps tenir leur promesse. Lui-même en aurait été bien incapable. Il lui coulait le long du dos une sueur aigre et malodorante. Jamais le roi d'Opule n'avait eu aussi peur.

Il avait raison d'avoir peur. Découvrant ses soldards titubant, livides, à peine sortis de leur cocon et dont plus de la moitié manquait, Morte-Paye se mit à bouillir de haine. Il se frappa le crâne de ses énormes poings, trépigna, gifla ses capitaines à tour de bras. Puis il maudit Ggrok, qui avait autorisé sa défaite. Enfin il s'adressa à son fils.

– Je tiendrai ma promesse, Martial. Mais laisse-moi une consolation, une seule. Laisse-moi venger mon honneur en combat singulier.

Il n'avait pas prononcé de nom. Mais chacun se tourna vers le roi d'Opule, qui vacillait déjà sur ses jambes, prêt à vomir.

– P... pas de vengeance ! Tu as promis, Morte-Paye, balbutia-t-il.

– Un duel ! Face à face, l'épée au poing, la dague au flanc. Tu as ta chance, fiente d'étron !

Bouzouk hocha la tête. La proposition de son père lui semblait juste. Il permit que l'affrontement eût lieu. Et tant pis si Knut le Fourbe faisait dans ses chausses.

Contre toute attente, le roi d'Opule bomba son torse maigrichon, et proclama qu'il ne craignait rien ni personne. Ses yeux se mirent même à luire d'un éclat sournois. Il lança à Bouzouk :

– Je veux juste me recueillir auparavant. Brûler un cierge à Krik, dieu des combats singuliers. Le permets-tu ?

Bouzouk permit derechef.

T ANDIS QUE KNUT LE FOURBE SE RECUEILLAIT DANS LA chapelle du château, Baroud de Morte-Paye se préparait au combat. Il délia ses membres par de savants mouvements circulaires, s'assouplit nuque, poignets et chevilles, urina longuement. Puis il soupesa quelques épées, dont il choisit la plus lourde. Enfin il médita sur la vanité des hommes. Pas plus que nécessaire, comme il sied au guerrier.

– Je suis prêt, Martial.

Bouffe-Bœuf, qui surveillait l'unique porte de la chapelle, toqua à l'huis. Comme rien ne se passait, il ouvrit le battant. S'il le fallait, il attraperait le maigrelard par la peau du cou et lui botterait le pousse-pet pour l'obliger au combat. Mais il fut rejeté brutalement en arrière et valdingua au sol. Qui pouvait bousculer ainsi l'énorme Bougre ?

Bigreflan ! c'était Knut le Fourbe en personne ! Mais un Knut le Fourbe méconnaissable ! Un Knut le Fourbe métamorphosé en un guerrier avide de se battre, rictus hargneux, œil flamboyant, mollets de coq !

– Une épée, sur l'heure ! brailla-t-il à la ronde. Que je fende ce crapaud de Morte-Paye en deux parts égales. Que je lui coupe le nez, la langue et les roubignoles !

– Par Ggrok le Pueux ! s'esclaffa Morte-Paye. Le moulâchecouard s'est mué en bravachon !

Il semblait ravi du changement. Courtisards, capitaines, soldards, personne ne saisissait néanmoins d'où le roi d'Opule tirait son ardeur soudaine.

Sauf Bouzouk, qui comprit vite que Knut le Fourbe venait de s'approprier le contenu des quatre grimoires rangés dans le bât de Ganachon, et que les Bblettes avaient mis en lieu sûr. Dans la chapelle, justement. Ceux-là mêmes donnés par dame Coulemelle, au sortir du palais du Poussah des Pouilles : les Mémoires de Rak le Tuk, un grand guerrier, brave, borné, brutal, avait-elle dit. Par quel hasard Knut le Fourbe connaissait-il le trafic de M'mandragore et la magie de ses grimoires ? Les colporteurs, sans doute, qui avaient leurs entrées au château.

Quoi qu'il en soit, Morte-Paye avait soif d'en découdre et de préférence, tonna-t-il, avec autre chose qu'un tas d'étrons secs. La nouvelle dimension du roi d'Opule lui convenait à merveille.

Bouzouk apprécia la réaction paternelle. Il songea qu'il aurait pu avoir un Knut le Fourbe pour père et remercia Zout de ne pas l'avoir permis.

On donna au roi d'Opule l'épée qu'il réclamait et les deux adversaires se postèrent au centre de la cour, dans un cercle que Mille-Mots avait tracé à l'ocre rouge. Comme il est d'usage dans les duels, chacun insulta copieusement l'autre avant de croiser le fer. À ce jeu, les deux hommes étaient de force égale. Les injures firent leur office, car la tension, qui était grande, monta encore d'un cran.

Puis la joute commença.

Le premier assaut fut l'œuvre de Knut le Fourbe, qui sentait rouler dans ses veines le sang ardent d'un preux. Jamais ses épaules n'avaient été si larges, sa poitrine si bombée, ses pieds si fermes sur le sol, lui si voûté d'ordinaire, lui qui rasait les murs en trottinant menu. Rak le Tuk l'emplissait tout entier. Il porta à Morte-Paye un coup d'estoc, droit sur lui, cherchant à percer la cotte d'acier de la pointe de l'épée. L'autre répliqua d'un coup de taille, qui dévia la lame du roi. La ferraille cliqueta durement, et le bruit engraissa la hargne des combattants. Ils se jetèrent l'un sur l'autre avec une furie bestiale, comme deux aurochs se chargeant.

Épouvantable choc, qui ébranla jusqu'aux remparts du château ! Leurs bras, leurs jambes, leurs troncs, leurs figures s'emmêlèrent, pour se repousser rageusement, et repartir de l'avant, pour frapper, frapper encore, abattre la lame qui sifflait, la faire tournoyer, s'abreuver d'injures de plus belle. Parfois une mâchoire s'avançait pour mordre un mollet ou un doigt, parfois un pied en écrabouillait un autre. Les cris se croisaient, s'entrechoquaient au milieu de la poussière qui montait du sol et voilait leurs yeux.

Morte-Paye avait l'avantage du poids, Knut le Fourbe celui de la souplesse. L'un frappait d'estoc, l'autre de taille. Mais chacun nourrissait à l'égard de son adversaire une haine égale et, par-dessus tout, chacun avait pleine confiance en soi.

C'était le combat de deux seigneurs de guerre. Un Knut le Fourbe ordinaire aurait été balayé du plat de l'épée, mais celui qu'il était devenu en valait cent comme lui. Jamais Morte-Paye n'avait eu d'adversaire aussi tenace, aussi farouche.

Quel art de l'esquive ! Quelle manière dans les volte-face et les parades ! Morte-Paye était ébloui. Usait-il d'un bamoulinet ? Knut le Fourbe ripostait par une vrillotte ! Portait-il une botte au flanc, l'autre parait avec une virevolte ! Ils en vinrent bientôt à se complimenter de leurs coups respectifs, de leur bravoure. Qui sait s'ils n'allaient pas finir par tomber dans les bras l'un de l'autre, et aller boire un pichet de kohol ensemble ? Savaient-ils seulement encore pourquoi ils s'affrontaient ? Autour d'eux, les courtisards, les capitaines et les soldards applaudissaient chaque coup, envoyant leurs casques et chapeaux en l'air.

Puis l'impossible arriva. S'emmêlant soudain les pieds, Morte-Paye dégringola lourdement sur le sol. Son arme alla dinguer contre les pavés ; il était à la merci du roi d'Opule.

Celui-ci leva l'épée pour donner le coup fatal. En une seconde, leur fraternité d'armes s'était évanouie. Dans le regard de Knut le Fourbe luisait une soif de victoire et de sang.

CHAPITRE 10

U N SIMPLE « HAN ! » ET LA LAME ALLAIT S'ABATTRE, FENDRE
en deux crâne, cou, poitrine et ventre, ainsi qu'on
le fait d'une simple poire de jardin.

Bouzouk n'hésita pas. Quoique les règles du duel l'interdissent, il remua l'orteil et arrêta le temps l'espace d'un soupir, qui ressembla alors à l'éternité. Il n'y eut plus dans la cour du château que des ombres pâles, figées comme de la cire froide. Bouzouk seul se mouvait parmi elles. Bouzouk seul pouvait penser, et agir.

Il tourna longuement autour des deux hommes immobiles. Avec une furieuse envie de leur botter le derrière, ou de leur flanquer des gifles à tour de main.

Ainsi pétrifiés, ils avaient l'air de mannequins grotesques. L'un gisant à terre, appuyé sur un coude, fixant son adversaire d'un air de défi, à l'orée de la mort. L'autre dressant sa lourde épée au-dessus de sa tête, la bouche grimaçante, l'œil allumé. Tous deux suaient la mort et la haine. Rien que de très banal, s'agissant de guerriers. Pas de quoi s'en mordre les pieds. Mais parmi ces deux calcinés du cœur, il y avait son père.

Et ce n'est pas rien, un père. Quel qu'il soit.

Fallait-il laisser le destin écrabouiller Morte-Paye ? Et par ce scélérat de Knut le Fourbe ? Fallait-il que Bouzouk mît dans la main de son père à terre une dague, une pique ? Qu'il recouvre son corps d'un bouclier invisible ?

Bouzouk opta pour le raisonnable : le désarmement général. Il fit vieillir les deux épées de quelques siècles puis, d'un froncement d'orteil, relança le cours du temps.

Lorsque le bras du roi retomba pour partager son adversaire en deux, le fer rouillé se désintégra en fine poudre brune.

Aubaine inespérée ! Avec un cri de triomphe, Morte-Paye roula sur le côté, s'empara de son arme et à son tour fit siffler sa lame au niveau du cou de l'ennemi. La même poussière brune vola dans l'air.

– Par Krik le cuistrôt ! C'est de la sorcelure ! se mit à rugir Morte-Paye, les mains encore fumantes.

– Il y a du louche là-dessous, maugréa Knut le Fourbe.

Mécontents, les capitaines et les soldards trépignaient, tandis que les courtisards réclamaient deux nouvelles épées. Un brouhaha s'élevait, qui exigeait un vainqueur et un vaincu. Et des tripes à l'air, et des têtes coupées, et du sang sur l'herbe.

Bouzouk était à deux doigts de transformer tout le monde en cloportes, lorsque son père leva le bras, réclamant le silence.

– En combattant comme un seigneur de guerre, Knut le Fourbe s'est racheté. Mon honneur est sauf, désormais. Je quitte le royaume d'Opule sur-le-champ. J'ai dit.

Un lourd silence accueillit ces mots. Fait de surprise, de doute, de déception. Mais chez les siens, la parole de Morte-Paye valait loi.

Malgré lui, Bouzouk admira son père.

Il le regarda rejoindre ses capitaines, leur donner l'accolade, puis vaquer parmi ses soldards afin de les réconforter. Mais Morte-Paye n'eut pas un mot, pas un regard pour son fils, qui venait pourtant de lui sauver la vie par deux fois.

Il se passerait encore quelques heures avant que l'armée ne commence à s'ébrouer pour le retour en Kronouailles. Quelques heures pour chasser les crampes des membres engourdis, panser ou recoudre les plaies. Bel-Essaim dirigeait la manœuvre, massant une cuisse ou un bras, enduisant d'onguent, caressant un front, une main. Elle était royale dans ce genre d'exercice. Mille-Mots dispensait à chacun de creuses paroles, comme il savait le faire. Bouffe-Bœuf, désœuvré, bouchonnait Ganachon.

Quant à Knut le Fourbe, il s'était retiré dans la salle du conseil avec ses courtisards, et attendait le départ de l'ennemi.

Il flottait dans le château une atmosphère étrange, ni guerre ni paix, ni victoire ni défaite. Personne n'était vraiment à sa place, tous avaient du brouillard dans le crâne.

Bouzouk comme les autres. Plus, peut-être. Voir et entendre son père lui procurait dégoût et fascination.

Il le rejoignit, planté sur les remparts, qui scrutait l'horizon. L'autre ne se retourna point. Tous deux restèrent un long moment ainsi, résolument muets.

– Pourquoi ne m'aimez-vous pas ? murmura soudain le jeune homme.

La phrase était sortie sans qu'il le veuille vraiment. Quelque chose d'impérieux, pourtant. Il n'attendait pas de réponse. Mais la voix de Morte-Paye s'éleva.

–J'aimais ta mère, Martial. Mon cœur était rempli d'elle. J'ai souvent dû partir guerroyer au loin. À l'époque, le Kron lorgnait l'empire de Ziao, aux confins du Médiome. Je l'ai toujours suivi. Chaque fois, je rentrais avec le bât de mon destrier chargé de bijoux, d'oiseaux magiques et de tissus pour ta mère. Chaque fois je la retrouvais plus lointaine, moins aimante. Je l'appelais la femme de glace. Quand je suis revenu de la bataille de Pû, meurtri, couturé de blessures, je l'ai trouvée dans les bras d'un autre. Sous mon toit ! Avec un putois puant le parfum ! La gueuse me trompait avec Paulin d'Abba, un trouvamour ! Un voix-de-faussard, un poète ! La grondasse !

Silence. Baroud de Morte-Paye avait enflé sa voix jusqu'à presque crier le dernier mot, qui s'était brisé comme du verre. Il se tut. Bouzouk se mordit les lèvres pour ne pas hurler à son tour. Le cœur lui cognait à tout rompre.

–Ils se sont enfuis tous deux sur un cheval de mes écuries. Ta mère t'a abandonné, Martial, sache-le ! Abandonné pour un pousse-chanson ! Ils ont trouvé refuge ici, au royaume d'Opule. Ce fou d'Abba était un cousin de Knut le Retors, le père de Knut le Fourbe. Le roi les a accueillis dans son château. J'ai rassemblé mon armée et traversé les gorges d'Zwmlgfsct. La bataille a été longue, indécise, et nous avons été battus. Knut le Retors utilisait des meutes de skonjs, le bousard ! Pire que les Bblettes ! Il a gardé le cousin et sa grenuche ! Plus jamais je n'ai prononcé son nom.

Morte-Paye haletait. Depuis tout à l'heure, il n'avait pas bougé d'un pouce, les pieds rivés à la pierre, le regard cloué sur le ciel clair. Bouzouk, lui, tanguait, la tête en feu.

–Tu m'as sauvé la vie, Martial. Je te devais la vérité. Et voici ma réponse : je ne t'aime pas parce que j'ai trop aimé ta mère.

BOUZOUK RESTA LONGTEMPS SUR LES REMPARTS, APRÈS LES terribles révélations de son père. Il vit le long ruban de l'armée partir vers le sud. Il vit le fer des piques avalé par l'horizon, le ciel lentement s'assombrir.

On vint lui taper sur l'épaule, lui caresser la joue. Rien n'y fit. Le monde qu'il tentait si fort de reconstruire, son passé, était sans cesse laminé par ce qu'il apprenait : enterré par son père, abandonné par sa mère. Cela ne pouvait pas être pire.

Fallait-il qu'il oublie sa quête ? Qu'il se contente d'être, sans avoir été ? Il se sentait au bord d'un gouffre, et les pas qu'il faisait le rapprochaient sans cesse du vide. Il devenait de plus en plus incertain et meurtri.

Il était silencieux. Imperceptiblement son regard se voilait. Peut-être se serait-il desséché sur pied si un événement d'importance ne s'était produit, le contraignant à rejoindre la réalité.

– Par la raie de Gozar ! rugit Bouffe-Bœuf, la main en visière sur le front. Morte-Paye revient !

En effet une forte poussière annonçait l'arrivée d'une troupe.

Branle-bas de combat au château. Aux cris du Bougre, Knut le Fourbe s'était rué sur les remparts, tandis que ses courtisards s'étaient allongés de nouveau sous les meubles. Seul, sans arme, le roi d'Opule proclama qu'il allait arrêter net l'armée de ce perfide, de ce traître, de ce…

— Calme-toi, siffla Ganachon, qui avait l'œil perçant. Cette troupe arrive de l'est et c'est de la piétaille. Je vois même des chaînes reliant les chevilles de quelques marcheurs. D'autres ont des piques et les aiguillonnent.

L'information circula. Les courtisards réapparurent et grimpèrent aux remparts.

— Mais c'est Crasse-Pogne, gloussa un gnome emplumé. Il nous revient avec un troupeau de taupions! Comme à chaque lune, pour…

Il fut interrompu par une main qui bâillonna sa bouche et la meute des courtisards s'empressa de changer de conversation. Ganachon affina sa description.

— Je vois un géant marcher en tête. Il porte une barbe verte.

Barbe verte! Les deux mots fouettèrent Bouzouk, qui s'arracha au silence.

— Un géant à barbe verte! Tu es sûr, Ganachon?

— Plus sûr que sûr, cavalier. Verte comme prairie au printemps.

Mille-Mots se mit à piailler comme un mok.

— Le voilà, Bouzouk! Celui à qui j'ai vendu ton grimoire! C'est lui!

Le cœur de Bouzouk s'enfla de joie. La coïncidence était belle! Voilà qui s'appelait tomber dans la gueule du

skonj ! Tout compte fait, Bouzouk avait une chance inouïe !
Il ordonna qu'on dégarnît les remparts, afin que Crasse-
Pogne ne se doutât de rien. Tout le monde dégringola dans
la cour, sauf Knut le Fourbe, qui ne comprenait rien à ce
tohu-bohu. Le Rak le Tuk qu'il était devenu réclamait une
épée pour tailler des bras et couper des têtes. Il fallut que
Ganachon menaçât de lui croquiner les fesses pour qu'il
consentît à regagner la salle du conseil en compagnie de
ses courtisards. Lesquels se recroquevillèrent sous les fau-
teuils en attendant les catastrophes à venir.

Bouzouk et ses compagnons déclouèrent les planches
qui obstruaient l'entrée du château et se tapirent derrière
le battant de la porte. Il fut convenu qu'ils sauteraient
comme un seul homme sur le géant à barbe verte dès qu'il
franchirait le pont-levis. Ganachon se prépara même à
expulser quelques crocrottins en cas de besoin.

Le piétinement de la troupe grossissait à vue d'ouïe.
Ça cliquetait, ça ferraillait, ça tintait comme des grelots
et le sol tremblait de plus en plus. Les cinq amis ban-
daient leurs muscles, prêts à bondir.

Puis, bizarrement, le bruit décrut, comme s'il s'éloignait et finit par disparaître tout à fait. Bouzouk avança la
tête, jeta un œil sur l'horizon. La plaine était vide. Il n'y
avait plus la moindre piétaille, ni géant, ni barbe verte. Juste
quelque poussière flottant encore dans l'air, à quelques centaines de coudées. Encore se dissipa-t-elle rapidement.

–Un mirage ? Il y a des mirages, par ici ? balbutia
Bouzouk, abasourdi.

Ganachon, les naseaux palpitants, secoua la tête.

–Je sens encore l'odeur des pieds, l'aigre sueur des
aisselles. Non, cavalier, il y avait bien de la piétaille voilà
peu.

Devant un tel prodige, tous restèrent sans voix. On ausculta le terrain pouce par pouce, on fouilla méticuleusement les taillis. Rien. Le fourmillement des buissons était tel que le ratissage pouvait bien durer cent lunes. On finit par abandonner.

Bouzouk était déconfit. Sans Crasse-Pogne, le barbu vert, pas de grimoire. Sans grimoire, pas de mémoire. Sa vie tournait à vide, une fois de plus.

– Si nous interrogions les courtisards ? dit soudain Bel-Essaim. Ce géant ne leur était pas étranger, si j'ai bien compris.

Excellente suggestion. Bouzouk et les autres se rendirent illico dans la salle du conseil. S'ils savaient quelque chose, ces empapaoutés videraient leur sac à la moindre menace, pétochards qu'ils étaient !

Seulement voilà : lorsque Bouzouk pénétra dans la salle, la seule et unique personne qu'il y trouva fut Knut le Fourbe, qui bâillait d'ennui devant une croisée ouverte.

– Où sont tes courtisards ? hurla Bouzouk.

Le roi d'Opule fit un geste vague.

– Bah ! À force de se coucher sous les meubles, d'en sortir, d'y retourner et de pépier comme des pintades, ces freux me tournicotaient la tête. Je les ai tous défenestrés.

Les bras de Bouzouk lui tombèrent le long des flancs. Il courut à la fenêtre en espérant qu'elle donnât sur une terrasse ou un balcon. Las ! De ce côté-ci du château s'abîmait un ravin vertigineux, qui devait, avec Knut le Fourbe, avoir eu son content de victimes.

Les courtisards ne pépieraient plus.

Pas plus que le roi d'Opule, dont la cervelle était farcie désormais des seuls souvenirs de Rak le Tuk. Peut-être l'ancien Knut le Fourbe aurait-il pu renseigner Bouzouk.

Mais le nouveau ignorait tout de ce géant à barbe verte et de cette étrange piétaille aux chevilles entravées. «Les taupions», avait dit le gnome à plumes. Cela sonnait comme des créatures d'outre-monde !

Bah ! songea Bouzouk. Ce Crasse-Pogne finira bien par réapparaître.

Un mystère de plus, cependant. Oui, à mesure qu'il cherchait, les mystères poussaient comme picons. Mais savoir qu'un de ses grimoires était peut-être à portée de main rassura le jeune homme. Vaille que vaille, il poursuivrait. C'était là son destin.

Par la bouche de Morte-Paye, sa mère venait de faire une entrée fracassante dans sa vie. Accusée de trahison, d'abandon ! Qu'importe, après tout ! Quel qu'il fût, le passé devait ressurgir.

Guilledouce, sa mère, s'était réfugiée au royaume d'Opule, autrefois. Peut-être y était-elle encore. Elle et son Paulin d'Abba.

Bouzouk fit part à ses compagnons des révélations de Morte-Paye. Il ne leur cacha rien. L'histoire disait quelque chose à Mille-Mots. Le nom de Paulin d'Abba ne lui était pas inconnu, mais son vieux cerveau était hélas trop brumeux.

Comme ils étaient dans la salle du conseil, les cinq amis tinrent conseil. Ce fut rapide. On décida de passer le petit royaume d'Opule au peigne fin.

—Nous retrouverons ta mère, dit Mille-Mots. Je te le jure.

Bouzouk le crut. Quelque chose lui disait qu'il n'était pas orphelin. Quelque chose comme l'envie de poser sa tête sur des genoux et de s'y endormir en suçant son pouce.

Quatrième partie

Guilledouce

CHAPITRE 1

LA PETITE TROUPE CHOISIT DE QUITTER LE CHÂTEAU AVANT l'aurore. Ils laisseraient derrière eux un Knut le Fourbe absolument seul, sans Bblette, sans courtisard, au milieu d'oiseaux mécaniques, de fontaines glougloutantes. Un Knut le Fourbe un peu perturbé par sa nouvelle identité. Lorsque les cinq compagnons voulurent le saluer, avant leur départ, ils le trouvèrent devant un grand miroir, abîmé dans une profonde réflexion. À leurs adieux, il répondit par un «Bon appétit!» qui prouvait son désarroi.

– Il s'y fera, pronostiqua Mille-Mots, qui s'y connaissait en désarroi.

Bouzouk avait décidé qu'ils se sépareraient pour arpenter le royaume d'Opule de long en large. Lui au nord, Ganachon au sud, Mille-Mots à l'ouest. Bel-Essaim et Bouffe-Bœuf se chargeant de ratisser l'est. Ainsi seraient-ils plus libres de leurs mouvements. Moins repérables, aussi.

– Ratisser un royaume à pied? s'étouffa Bouffe-Bœuf.

– J'ai vu des labourrins dans les écuries royales, dit Bouzouk.

On respira. C'étaient là des chevaux mafflus, musculeux, capables de porter n'importe quelle charge. Chacun prit le sien, y compris Ganachon qui parla d'économiser ses sabots.

Il s'y reprit à trois reprises mais, une fois grimpé sur sa monture, il avait plutôt fière allure. Un cheval de dix coudées à califourchon sur un labourrin est un spectacle rare.

Ils se mirent à trottiner tous les cinq dans le petit matin. Leur entreprise était simple : retrouver les traces de Paulin d'Abba. Natif d'Opule, le trouvamour devait avoir des amis d'enfance, des parents et s'il y vivait encore, on avait bien dû l'apercevoir de-ci de-là. Cherchant Paulin d'Abba, on trouverait aisément Guilledouce, avait songé Bouzouk.

Ils s'arrêtèrent au premier carrefour. Rendez-vous fut pris à ce même endroit, au crépuscule du troisième jour, pour faire le point. Chacun se souhaita bonne fortune, avec entrain, comme il sied aux impatients.

Puis ils se séparèrent.

C'était la première fois depuis longtemps que chacun allait son chemin et tous étaient troublés. Bouzouk plus que les autres, peut-être, car cette quête était la sienne. Ce fut le seul des cinq à ne pas se retourner pour faire un signe d'adieu.

Une colline le masqua bientôt à la vue de ses quatre compagnons. Un soudain soulagement le prit. Il se sentit plus léger, comme s'il recouvrait une sorte de liberté, d'irresponsabilité. Être le cavalier d'un Ganachon, l'objet de passion d'une Bel-Essaim, l'ami très cher d'un Bougre et d'un scribrouillon, tout cela était parfois lourd à porter. Chaleureux, drôle, revigorant, mais lourd.

Ainsi méditait Bouzouk en route vers le nord du royaume d'Opule, lorsqu'il aperçut un glébeux dans un champ fraîchement retourné. L'homme, cassé en deux, tirait un soc de ses deux bras. Il suait, soufflait, haletait sous l'effort, laissant derrière lui un maigre sillon dans la terre.

– Holà, toi ! cria Bouzouk. Je cherche Paulin d'Abba ! Le connais-tu ?

L'autre s'arrêta net, écarquilla deux petits yeux noirs.

– Tu as un bien joli labourrin.

– As-tu entendu ma question ?

– J'y répondrai si ton labourrin tire mon soc. Je m'y tourille le dos.

– Soit, dit Bouzouk, qui attela sa monture à l'instrument et se mit à pousser des « Hue dia ! Hue bourriquon ! » à plein gosier.

Il y passa un rude moment, car la glaise était pleine de rocailles et racines. À la fin, le champ était zébré de mille sillons profonds. Le glébeux était aux anges.

– Par Gouano ! Si plantaille ou semaille t'intéresse, je t'embauche tout de suite, étranger !

– Réponds à ma question, maintenant.

– Je l'ai oubliée, depuis le temps.

Bouzouk répéta et le glébeux secoua la tête.

– Jamais ouï ce nom.

Et Bouzouk de rugir qu'il allait lui faire manger ses mottes de terre si le glébeux se fichait de lui une seconde de plus !

Et le glébeux de rétorquer qu'il avait répondu à sa question comme promis ! Puis d'appeler à l'aide les glébeux alentour en braillant qu'un étranger lui bourrait le crâne avec des histoires à bêcher la pierre ! Enfin d'annoncer qu'il y avait là un superbe labourrin dur à la tâche !

Bouzouk préféra quitter l'endroit sur-le-champ. En se jurant de ne plus se laisser piéger par des culs-glaiseux aussi malhonnêtes. Sans compter que de toutes parts arrivaient des cohortes de glébeux prêts à casser du Bouzouk à coups de houe, serfouette et piochon.

Par Zout ! Comme il aurait aimé les changer tous en meule de paille ou en bouse de vachetrin !

CHAPITRE 2

L E SOLEIL SE FAISAIT CUISANT. BOUZOUK SONGEA À UNE halte fraîche, près d'un lac. Les énormes sabots du labourrin martelaient le sentier d'un grondement de rocaille, *bam badabam, bam badabam*. Il regrettait le train léger de Ganachon, sa conversation plaisante.

– Bonjour, joli musardin.

Bouzouk sursauta. Tout à sa rêverie, il n'avait pas vu se matérialiser sur le bord du chemin une lourde silhouette de femme, enveloppée dans des voiles blanchâtres. Elle se tenait campée sur ses deux pieds, les poings sur les hanches robustes, l'œil goguenard.

– Tu cherches quelqu'un ? grasseya-t-elle.

Par Zout le Mielleux, les nouvelles allaient vite, dans le coin ! Bouzouk l'observa avec méfiance. Cette femme avait peut-être partie liée avec les glébeux. Mais il ne pouvait négliger aucune piste.

– Je cherche un certain trouvamour, commère.

– Ces bavottins aux mots de velours et de soie ? J'en connais un.

Elle grimpa d'un bond sur la croupe du labourrin, sans même demander l'avis de son cavalier. Étonnamment légère pour sa corpulence.

–Il loge au pied de la falaise d'Wsix, dans un gourbi de craie et d'ocre. Je vais t'y conduire.

Bouzouk ne se déroba point. Un trouvamour, pourquoi pas ? Peut-être aurait-il des échos sur Paulin d'Abba. Guidé par l'inconnue, il suivit la lisière d'une forêt sombre, s'enfonça dans un ravin surplombé d'une falaise blanche comme du lait.

–Nous arrivons, musardin.

Elle montra une cabane de craie sèche, où s'inscrivait le sombre rectangle d'une porte. Une fumée verdâtre grimpait dans le ciel. L'endroit était sinistre, désert. Idéal pour un guet-apens. Bouzouk se tint sur ses gardes. La femme sauta à terre et, se penchant par l'ouverture, beugla :

–Je t'amène un client, Trousse-Cœur !

Rien. Le gourbi resta de marbre.

–Ce mou-du-flanc est encore en train de cuver son kohol ! fulmina-t-elle en s'engouffrant dans la cabane.

Il y eut un fracas de verre cassé, quelques cris et la femme ressortit, les joues perlées de larmes.

–Il m'a traitée de broute-patin, bafouilla-t-elle. De frotte-au-derche ! Moi ! Quand je pense qu'il me roucoucoulait encore hier soir !

Bouzouk sentit l'impatience l'envahir et entra à son tour dans la cabane de craie. Il y trouva un long vieillard affalé sur un tabouret, devant un âtre qui flambait. Sur ses genoux reposait une liasse de lettres qu'il jetait l'une après l'autre dans le feu, accompagnant chacune d'elles de soupirs. Ses yeux suintaient la tristesse. Bouzouk respecta un moment son manège, puis :

–Je cherche un homme, Trousse-Cœur.

–C'est ton droit, criquon. Moi-même, j'ai longtemps cherché une femme. Trop longtemps, sans doute. Quand j'ai réussi à la retrouver, elle n'était plus qu'une ombre dans mon cœur.

Il jeta une dernière feuille dans les flammes.

– Aujourd'hui, je brûle toutes ses lettres d'amour. Aujourd'hui, je meurs pour la seconde fois. Aujourd'hui…

– Cesse, l'ancêtre ! Cesse ! coupa Bouzouk. À force de te répandre, tu vas finir par devenir liquide !

Parole cruelle qui atteignit son but. Trousse-Cœur sembla se réveiller d'un cauchemar, dévisagea soudain Bouzouk.

– Par Amadou ! Que veux-tu donc, pistounet ? Que je tourne de belles phrases pour toi ? Que je déclare ta flamme à une belle ? Que je torche quelque poème ? Quelque blason ? Quelque chanson ? Dis-moi, croque-lard, dis-moi donc… Trousse-Cœur a tout compris de l'amour ! Tout, hélas !

Par Zout le Dru, quel intarissable bavotton ! Bouzouk réussit néanmoins à l'interrompre :

– Le nom de Paulin d'Abba te dit-il quelque chose ?

Une ombre voila d'un coup le regard de Trousse-Cœur, qui n'échappa point à Bouzouk. L'homme connaissait ce nom. Le cœur du jeune homme tambourina.

– Parle ! hurla-t-il. Ou je donne ta langue en pâture aux bluzards !

Le vieux trouvamour se ratatina sur son siège, l'œil effaré.

– Je ne sais pas grand-chose, fils. Seulement que ce nom est sept fois maudit au royaume d'Opule, et qu'il ne faut le prononcer sous aucun prétexte. Que ses chansons et ses poèmes ont été brûlés en place publique, bien qu'il fût le plus grand trouvamour de son temps. Je le sais, j'y étais. J'ai vu le grand brasier.

– Mais lui, Trousse-Cœur ! Lui ! Où est-il ?

– Évaporé ! On dit qu'il a payé cher, très cher, un grand amour. Je ne sais rien de plus, je le jure, criquon.

Bouzouk tituba jusqu'à la cheminée, s'y adossa, le regard perdu dans les braises fumantes.

– Qu'est-il pour toi ? chevrota Trousse-Cœur.

Bouzouk hésita, la cervelle à nouveau pleine de brume. Puis il s'entendit répondre :

– J'aurais aimé qu'il fût mon père.

Pourquoi pas ? Puisque le sien ne l'aimait pas, Bouzouk se choisissait un autre père, voilà tout. Sans saisir le sens exact des mots, Trousse-Cœur hocha la tête.

– Ton père ? Attends, criquouillon…

Trousse-Cœur grimpa cahin-caha une échelle qui montait au grenier, disparut par la trappe. On l'entendit qui fouillait, farfouillait, pestait, déplaçait mille choses, pestait encore, avant de pousser un cri de triomphe. De redescendre caha-cahin, de tendre une feuille pliée en quatre, jaunie, racornie. Brûlée, même.

– Lis, criqueton, lis.

Bouzouk déplia lentement le papier.

C'étaient les deux premiers vers d'un poème.

Tu es ma nuit de miel
Ma voix mon cœur ma vielle

Douze mots interrompus par le feu, semblait-il. Douze mots qui flambaient d'amour. Bouzouk se mit à trembler. Était-ce à sa mère que ces vers s'adressaient ?

– C'est tout ce que j'ai réussi à sauver. Prends, criquon.

CHAPITRE 3

BOUZOUK NE REPARTIT PAS CE JOUR-LÀ. D'ABORD PARCE qu'il avait besoin de digérer ce qu'il venait d'entendre, ensuite parce que Trousse-Cœur et dame Bouillotte insistèrent pour qu'il passât la nuit chez eux. Il ne le regretta pas. Le trouvamour et sa bonne dame, malgré les apparences, s'adoraient plus que de raison. Ils s'inventaient même des querelles d'amour pour passer le temps, ce qui est l'apanage des grands amoureux. Comme cette histoire de lettres jetées au feu. Du bel art.

Voilà des années que dame Bouillotte jouait les rabatteuses pour son vieil amant. Trousse-Cœur parvenait encore à inventer quelques pauvres vers pour des passants peu regardants, des amoureux de pacotille, des écoliers ou des soldards. Il bredouillait des bouts de chansons, tricotait des comptines. C'était tout ce qui lui restait de son métier d'autrefois, qu'il avait exercé longtemps, aux confins du royaume d'Opule et même en Kronouailles. Bon an mal an, il en tirait quelques brouzes et, comme dame Bouillotte se contentait de peu, c'était suffisant. Tous deux trouvaient aussi que c'était miracle d'être ensemble.

La soirée fut donc pleine de mots d'amour et l'on mangea une ragougnasse de baribou, la spécialité de dame Bouillotte. Puis Bouzouk s'endormit sur un nid de paille, au grenier. Ce fut une de ses meilleures nuits.

Au matin, il trouva Trousse-Cœur lavé et rasé de frais, vêtu de son costume d'apparat, tunique vermeille et sombre capeline, sa manivielle sur les genoux. Dame Bouillotte le regardait comme au premier jour et, lorsqu'il entonna une chanson d'adieu de sa voix blanche, elle pleura à chaudes larmes. Après avoir plaqué le dernier accord, Trousse-Cœur nomma l'auteur de la chanson. Il s'agissait de Paulin d'Abba.

–Je les ai toutes dans ma tête depuis des lustres, criquon ! Et toutes les interdictions n'y feront rien ! Jamais ! Ton presque-père était le prince des trouvamours !

Bouzouk grimpa au plus vite sur le labourrin. Rester plus longtemps en compagnie de ces deux-là lui faisait trop de bien, ou trop de mal. Il se jura de revenir.

Au moment du départ, Trousse-Cœur lui donna une piste qui, dit-il, ne valait peut-être pas un pet de skonj. D'après ce qu'il savait, à une demi-journée de marche vers le nord, vivait un pendulard nommé Pilpil. Une créature habile à retrouver des objets perdus, et même des personnes disparues. Pour Bouzouk, en peine de savoir où guider ses pas, n'importe quoi faisait l'affaire. Il remercia Trousse-Cœur et dame Bouillotte puis partit une fois de plus sans se retourner.

Le ravin débouchait sur un horizon plus paisible, jalonné de collines vertes et dodues, de champs de blute. Bouzouk y vit un signe d'espoir. Il chemina vers le nord, vers le pendulard. À midi, il arriva en vue d'une colonne de schiste coiffée d'un énorme nid de corbaillons fait, comme à l'ordinaire, de glaise, de brindilles et de mouffe. Mais nul piaillement, nul claquement de bec: de corbaillon, point. En revanche apparut sur le rebord du nid un minuscule visage blafard, qui lorgna le jeune homme de ses yeux perçants comme poinçons.

– Sais-tu où niche Pilpil, moinillon?

– Tu l'as en face de toi. Que veux-tu?

La voix du pendulard était comme un pépiement d'oiseau.

– J'ai besoin de ton savoir. On m'a dit qu'il était grand, flagorna Bouzouk.

– Si tu cherches ce que j'ai déjà trouvé, étranger, alors, nous nous entendrons.

Bouzouk hésita. Il n'était pas sûr d'avoir bien compris.

– Je cherche...

– Ne dis rien, coupa Pilpil. Écoute plutôt ce que je te propose aujourd'hui: une bourse avec trois brouzes, des coussins brodés, une mallette de voyage, une pipe légèrement fendue, un portrait de femme. Choisis.

– Je cherche un homme, Pilpil.

Le pendulard émit un sifflement.

– Par Bubur le Golik! Voilà qui est délicat. Et nettement plus coûteux, mon cher.

– Je paierai ce qu'il faudra.

Un grand sourire fendit sa face blême, et Pilpil compta sur ses doigts.

– Que dirais-tu d'un marchand de marmalades? Ou d'un jeune glébeux plein d'allant? J'ai aussi un vieux piroguier et un chercheur de picaille.

– N'aurais-tu pas dans tes tablettes un trouvamour nommé Paulin d'Abba?

–Malheureux frouard ! Que t'a donc appris la vie ? À nommer un désir, on fait fuir ce qu'on cherche !

Et le pendulard de pérorer sur les prompt-à-tout, les fend-trop-d'air ! À l'entendre, le monde était rempli de gourmandins assoiffés de tout-de-suite !

Tant et si bien que Bouzouk, entourant de ses bras la colonne de schiste, se mit à la secouer pour faire tomber Pilpil de son nid. Ce donneur de leçons en méritait bien une.

Il chuta comme un fruit blet. Bouzouk lui attrapa les joues et le brimbala rudement.

–Maintenant, fils de frouille, tu vas faire ton métier de berce-pendule. Et pas de pipaillerie ni de calembourres foireuses ! Je veux une longitude et une latitude. Je t'écoute.

Pilpil obtempéra. On ne résiste pas à un Bouzouk en colère, notamment lorsqu'on pèse à peine plus qu'un gongombre. Il se frotta le croupion, qu'il avait endolori, et croassa :

–As-tu un objet lui ayant appartenu, bagouse, chausses, mouchoir, perruque… ?

Bouzouk tendit la feuille où s'ébattaient les deux vers de Paulin d'Abba. L'autre fit la moue.

–Des mots ! Il n'y a pas plus mensonger que les mots ! Enfin, donne toujours.

Pilpil lut les deux vers plusieurs fois, à haute voix. Puis il sortit de sa poche un pendule et une carte du royaume d'Opule, qu'il tenait, affirma-t-il, des géographes royaux. Saisissant le fil entre le pouce et l'index, il promena lentement la boule métallique au-dessus de la carte. Il n'y eut pas la moindre oscillation.

–Tu attends que le vesse souffle pour que ta breloque balance, oisillon ? grinça Bouzouk en lui saisissant l'oreille.

–Elle oscille, elle oscille, s'empressa Pilpil.

Effectivement la boule se mit à gigoter, à tournailler vivement. Il se passait quelque chose.

– Je t'écoute, dit Bouzouk.

– C'est confus, étranger. Tout ce que je peux dire, c'est qu'il a trouvé refuge sous un toit de pierre, dans un hameau où rien ne bouge...

– Par Zout ! Nomme l'endroit, tête d'étron !

Le pendulard tapota d'un doigt tremblant un point sur la carte.

– Q-quelque part entre le roc d'Orfroi et le fleuve Rô, étranger. J-je ne peux être plus précis.

Bouzouk poussa un cri de triomphe. Voilà qui était prometteur ! Il empoigna la carte et enfourcha son labourrin.

Il laissa un Pilpil au bord des larmes, qui se demandait comment il allait bien pouvoir regrimper dans son nid, lui qui ne savait pas voler.

CHAPITRE 4

IL AVAIT BEAU FLANQUER DE GRANDS COUPS DE TALONS DANS les flancs du cheval, Bouzouk réussissait tout juste à le faire avancer. Le labourrin peinait à s'arracher à la gangue argileuse du chemin, s'enlisait parfois jusqu'à mi-jarret. À plusieurs reprises, Bouzouk dut user de menaces, de flatteries afin que sa monture poursuivît sa route.

Il faut dire que la pluie dégringolait depuis des heures et des heures, rendant le sol aussi boueux que possible. Des cargaisons d'eau venues d'un ciel gorgé de tempêtes, de tourbillons noirs.

La nuit tombait peu à peu, sans que Bouzouk aperçût à l'horizon quelque masure, ou refuge – de quoi s'abriter pour dormir, reprendre souffle. Certes, le roc d'Orfroi était à un doigt, sur la carte, mais ce doigt-là semblait interminable. Et le Rô, qu'il longeait depuis un bon moment, enflait à vue d'œil, grondait, écumait, fouettait ses berges. Bientôt il déborderait, noyant le vallon. Bouzouk pressait donc le labourrin tant qu'il pouvait.

Fichu roc d'Orfroi ! Quand allait-il apparaître ?

C'est alors qu'il aperçut une lueur, d'abord aussi ténue que la flamme d'une bougie, puis de plus en plus forte. Elle semblait proche, accueillante. Une bicoque, sans doute.

– Un dernier trot, bourriquon, et nous y sommes ! beugla Bouzouk, penché sur l'encolure du cheval.

Le labourrin avait compris. Il fit appel à ses ultimes ressources, moulinant des sabots comme jamais. Chacun de ses pas arrachait des soupirs à la glaise du chemin.

Jusqu'au moment où le sol parut s'évanouir sous eux. Pire, il s'ouvrit et commença à les engloutir. Bigregrain ! un lac de sables mous ! De ces sables maudits qui avalent les voyageurs égarés ! Qui les enfournent comme fourrache !

Ce fichu sentier y menait droit. À croire qu'on l'y avait détourné.

Déjà le labourrin était enfoncé jusqu'au ventre, et Bouzouk se sentait aspiré avec lui par cette effroyable gueule de sable. Ses deux pieds étaient déjà mangés, orteils compris. Ses orteils de Petit Gourougou ! Pas question de magie, donc, pour se sauver ! Il chercha une branche où s'accrocher. Mais il n'y avait autour de lui que la nuit noire vomissant des trombes d'eau.

Là-bas, la lueur brillait toujours. Bouzouk hurla qu'on l'aide, par pitié ! Lentement le sable dévorait les flancs du labourrin. Enfin quelque chose s'agita, à une centaine de pas. Une barque ! On appareillait une barque pour le secourir. Ah ! Les braves gens !

– Par ici ! tonna-t-il. Vite ! Je m'ensablonne !

Les sauveteurs n'étaient plus loin, maintenant. On souquait ferme, sur la barque. Quatre silhouettes massives, qui poussaient des grognements à chaque coup de rame dans le sable. Elles arrivaient. Bouzouk s'apprêta à agripper une main, un bras.

Une lanière siffla soudain, s'enroula autour de son cou. Il bascula, tête en avant, sans rien comprendre.

– Engourdine-la, maintenant ! Une bonne bougne sur la caboche !

Un rondin lui percuta l'épaule, sans l'assommer vraiment. Les quatre canailles ne voyaient pas plus clair que lui.

– Il est à point ! Souquez, souquez, qu'on le traînaille jusqu'au bord ! Souquez, pestefouchtre ! Sinon on va tous y rester !

Bouzouk avait réussi à agripper la lanière de cuir, ce qui soulagea son cou étranglé. Le sable lui rentrait partout, bouche, narines, yeux, oreilles. Enfin il sentit qu'on le traînait sur l'herbe molle. On le bourra de coups de pied, en riant. Les quatre scélérats avaient l'air content.

– Fouraille-lui les chausses, Bec-Bubon ! Sûr qu'il a des brouzes à gogo çui-là !

– M'est avis qu'il est du château, ouiche ! As-tu vu ses cheveux d'angelot, Sac-à-Bougnes ? Il va nous valoir une rançon dodue ! Même crevaillé !

Bouzouk attendait, face contre terre, muscles bandés. Qu'on l'empoigne et ils verraient, ces freux de marais ! Ces allumeurs de feux maléfiques ! Une main lui empoigna les cheveux. Bouzouk la saisit au vol, avec un hurlement.

– Morcul ! Il est vivant ! glapit-on.

Assurément, Bouzouk l'était ! Aussi vivant qu'on pouvait l'être, et fou de rage qu'on l'eût piégé ! Une chance pour les naufrageurs que ses pieds fussent endoloris, mâchés par le sable mou ! S'il avait pu remuer l'orteil, il aurait changé ces naufrageurs en croûtons !

En attendant, il se servit du nommé Bec-Bubon comme d'une boule à quilles, en l'envoyant dinguer sur les trois autres. Puis, se jetant sur eux, il entreprit de les estourbir.

Erreur! Il aurait dû les gaver de sable avant tout, pour qu'ils se taisent. Car voilà que les crapules meuglèrent des «À nous, gentils frères» qui auguraient une méchante suite, hélas.

À quelques coudées, le sol trembla d'un piétinement de troupe. Les quatre naufrageurs n'étaient pas seuls. Loin s'en faut. Brandissant piques et gourdins, une meute de brigands surgit de la nuit, avec des trognes rouges de kohol et de haine.

Que pouvait-il arriver de pire? Rien. La horde déferla sur le jeune homme, le bouscula, l'assomma, le dépouilla de ses vêtements, le garrotta et enfin, se mit en tête de le pendre.

Sac-à-Bougnes s'y opposa. En tant que chef des naufrageurs, il avait le droit de vie et de mort sur les proies. Il vint lorgner de son œil unique ce Bouzouk qui s'était permis de le tabasser.

– Il mourra trop vite. Faut qu'il souffrote, les amis. Je veux qu'on l'empapillote dans la braise, qu'il y roustisse doucement.

– Et on le découpera à la cisaille!

– Et on se le bouffaillera!

La perspective d'un rôti de Bouzouk enthousiasma les naufrageurs. Ils poussèrent des hourras furieux. Puis ils se saisirent de l'étranger et grimpèrent sur les hauteurs à toute allure. À les entendre, il y avait là-haut, à l'entrée d'une grotte, un brasier assez ardent pour griller maintes brochettes de Bouzouk.

Z OUT TINT-IL ENFIN SON RÔLE DE DIVIN PROTECTEUR ? OU fut-ce un caprice du hasard ? Lorsque les naufrageurs arrivèrent dans la grotte pour y rissoler le pauvre Bouzouk, la pluie, rabattue par le vent, avait fini par éteindre le feu. Les forbans furent déconfits. On tint conseil au sujet d'un nouveau supplice à infliger au naufragé. Sans se mettre d'accord, car les uns voulaient l'enterrer vivant, les autres le pendre par la langue, ou le découper à la scie.

On décida finalement de demander à la victime ce qu'elle en pensait.

– Ton avis, marmousin ? siffla Sac-à-Bougnes.

– On pourrait se battre en duel, toi et moi, risqua Bouzouk.

– Je te parle de torture, espèce de cuculon ! Un duel ! Tu te crois chez les marquisards ? Pourquoi pas une partie de craque-minette, tant que t'y es !

– Épluchons-le comme un gongombre ! ricana Bec-Bubon en brandissant son coupe-tripes.

C'était une belle idée. Les yeux des vauriens s'allumèrent de gourmandise.

– J'ai mieux ! hurla Bouzouk. Qu'on m'enduise les pieds de graisse chaude et qu'on amène un blairotin pour m'en langotter la plante ! Je ne connais pas pire supplice. Je mourrai étouffé par mes rires.

Tout le monde se regarda avec intérêt. La proposition était bonne. Sac-à-Bougnes chargea Bec-Bubon de ramener un blairotin. On fit fondre de la graisse, on en badigeonna les pieds de Bouzouk. Tout le monde était impatient.

Bec-Bubon s'éternisa. Faute de le voir revenir, on dénicha un bidochard sous une pierre.

– Un bidochard ! s'étrangla Bouzouk. Mais c'est un broute-carne ! Il va me bouffailler tout entier !

Sac-à-Bougnes le fit taire d'une gifle. On installa Bouzouk sur un rocher plat, on fit cercle autour de lui puis on lâcha la bête.

Heureusement, la graisse chaude eut l'effet escompté. Les pieds de Bouzouk s'étaient alanguis, le sang y circulait de nouveau. Avant que le bidochard ne lui croquât les orteils, il en remua un, rien qu'un seul. Les naufrageurs ne surent jamais pourquoi ni comment leurs bras se changèrent en ailes, leurs jambes en échasses, leur bouche en bec. Il y eut soudain dans le ciel sombre un vol de corbaillons, qui s'égaillèrent en croassant. Quant au bidochard, il éclata comme une bulle de savon.

Bouzouk sentit son cœur se calmer. Bigredeuil ! la malemort n'était pas passée loin. À un clin d'œil près, il finissait dans le ventre d'un charognard de la pire espèce !

Il défit ses liens, le crâne encore plein d'épouvante.

La situation n'avait pas de quoi le rassurer. Il était seul, nu comme un ver, transi de froid. Son labourrin gisait par dix mètres de fond dans les sables mous. Enfin il avait perdu les deux vers de Paulin d'Abba et la carte du royaume d'Opule. Triste épisode.

Cela le troubla-t-il au point qu'il ne vit pas s'approcher Bec-Bubon, tenant un blairotin par les pattes ? C'est possible. Bec-Bubon, un instant éberlué par l'absence de la meute, entrevit là un triomphe possible. Il asséna un terrible coup de blairotin sur la nuque de Bouzouk, qui s'effondra.

– Sac-à-Bougnes ! Gros-Bigle ! Col-de-Rogne ! Cherchez plus ! Je tiens le freluchon !

Comme personne ne répondait, il fut saisi de frayeur. C'est alors qu'au-dessus de lui tournoyèrent quelques corbaillons, dont l'un était borgne. Bec-Bubon comprit ce qui s'était passé. Un mage ! Le freluchon était un sale mage remueur d'orteil !

Il s'empressa d'entourer les deux pieds du jeune homme de glaise fraîche, pour l'empêcher de remuer quoi que ce fût. Puis il le ficela et le balança dans un ravin, en crachant :

– Que les abîmes de Ggrok t'engloutissent, bousard !

Puis il se mit en tête de rôtir le blairotin, car il avait grand faim.

Le corps de Bouzouk dégringola dans le précipice, sans sourciller, selon les lois immuables de la pesanteur. Sa chute fut heureusement amortie par d'épaisses fourmilles. S'il était malgré tout très mal en point, Bouzouk ne mourut pas tout à fait. Il sombra dans un coma profond, fait de brumes, de cendres.

La nuit passa. Vint l'aube du troisième jour.

C'est alors qu'une colonne de moniales faisant leur promenade matinale découvrit son corps inerte et nu.

Elles poussèrent d'abord des glapissements horrifiés puis s'approchèrent, pleines de curiosité et de compassion.

Comme Bouzouk était couvert de sang et qu'il ne bougeait pas, elles conclurent qu'il était mort. Sœur Fossette et sœur Bout-d'Ange ôtèrent leur capille et en voilèrent le cadavre. Il fut décidé qu'elles reviendraient avec sœur Pimpole, qui était forte comme trois popes, afin qu'on enterre le pauvre jeune homme. La colonne se reforma, pépiant comme volée d'hirondelles, et disparut vers le cloître.

Les trois sœurs tinrent parole. Vers le soir, une charrette tirée par un âne les ramena dans le ravin. Sœur Pimpole, paupières closes pour ne pas regarder le corps, en fit la toilette complète. Elle peigna les cheveux bouclés, débarrassa les pieds de leurs souliers de glaise. Enfin elle enroula Bouzouk dans un suaire et le déposa dans un cercueil en pin, fabriqué pour l'occasion.

– Quelle pitié ! dit sœur Fossette.

Sœur Bout-d'Ange hocha la tête, les mains jointes. Avait-on le droit de mourir lorsqu'on était si beau ? Non, assurément, non, songeait-elle. Comme c'était cruel !

Sœur Pimpole cloua le couvercle du cercueil.

Toutes les trois murmurèrent une courte prière puis elles firent demi-tour. Il y avait derrière le cimetière de la communauté un lopin de terre où on enterrait les moribonds échoués au cloître.

La fosse était déjà prête. Sœur Pimpole fit glisser la bière doucement au fond du trou. Quelques coups de piochon pour la recouvrir d'humus. Une courte oraison :

– Que son âme s'envole chez les ombres molles. Fasse qu'Izare l'accueille en ses Plaines-Rieuses.

Voilà. Bouzouk était enterré, et mieux encore que son père ne l'avait fait.

Chapitre 6

LES DEUX POUFS ATTENDIRENT QU'UN NUAGE NOIR AVALÂT le soleil pour quitter les buissons où ils étaient tapis. Le coin était désert, mais ils avaient appris à se méfier de leur ombre. En horde, ils pouvaient être dangereux. Mais vu leur petitesse, une paire de Poufs ne valait pas tripette.

– On y va ! murmura Goulin, le plus téméraire.

L'autre suivit à contrecœur. On ne l'appelait pas Pétochon pour rien.

Ils trottinèrent jusqu'au coin de terre remué, heureusement à l'abri d'un muret de pierres. Pétochon fit le guet tandis que Goulin creusait le sol à coups de houe. Le fer cogna bientôt sur du bois.

– On le tient ! haleta le Pouf, et il poursuivit de plus belle.

Quand le cercueil fut dégagé, Goulin s'assit au bord de la fosse, le souffle court. Par Ddrôg, le métier de trousse-cadavre demandait son pesant de sueur ! Parfois, ce qu'on trouvait dans la tombe ne valait même pas le travail fourni. Mais depuis que Roupillon, le chef des Poufs, les avait bannis de la horde, il leur fallait survivre.

– À toi ! murmura-t-il. Décloue le couvercle, qu'on en finisse…

L'autre s'installa sur le cercueil, en soupirant, avec un pied-de-biche. Goulin entendit le bruit des clous qui sortaient de leur logement, l'un après l'autre.

– Re-regarde, Goulin… bredouilla Pétochon.

Le soleil réapparut à ce moment-là, inondant la fosse d'une lumière dorée. Avisant le couvercle qui bâillait, Goulin ricana.

– Bien, bien. Tu sais user d'un pied-de-biche.

Pétochon ne répondit pas. Il se contenta de montrer en tremblotant le dernier clou, qui s'arrachait tout seul. Tout seul ! Puis le couvercle se souleva lentement, avec un grincement épouvantable. Sous les yeux terrorisés des deux Poufs, quatre doigts livides surgirent par l'entre-bâillement.

C'en fut trop pour les Poufs qui tournèrent de l'œil. Ils dégringolèrent, *bam, bom*, sur la planche de pin, la faisant retomber sur les quatre doigts.

– Par la calotte de Gozar ! fulmina une voix caverneuse. Va-t-on cesser de m'étriller, à la fin ?

Le couvercle grimpa d'un coup à trois bonnes coudées au-dessus du cercueil, flanqué des petits corps évanouis, et fusa dans le ciel pour disparaître à l'horizon.

Bouzouk avait retrouvé l'usage de ses orteils.

Lorsqu'il se redressa sur les fesses, la tête lui tournicota. Il avait mal partout. Ses côtes, son dos, ses jambes, ses bras, partout ! On l'avait beaucoup rossé ces derniers temps. La dernière fois, c'était sur le crâne. Après, plus rien. Un grand trou sombre. Comme celui au fond duquel il se trouvait à présent. Là où il aurait dû rester de toute éternité.

Il se redressa, scruta les lieux. Une tombe, bigrerogne ! Ainsi on l'avait cru mort, enterré. Déterré, aussi. Mais qui, mais pourquoi ? C'était lassant de n'avoir jamais réponse à ses questions.

Il émergea lentement de la fosse, enveloppé dans le suaire blanchâtre. Au-delà du petit muret de pierres sèches, il découvrit un paysage de pierres grises, d'ardoises bleutées, d'herbes folles. De grands pins s'y dressaient, majestueux. Un cimetière. Plus loin, un énorme bâtiment couleur de craie, aux murs coiffés de dômes, de clochetons. Cela ressemblait fichtrement à un cloître. Tout paraissait tranquille, étrangement immobile. L'endroit baignait dans la lumière mauve d'un soleil en train de disparaître.

Bouzouk s'en trouva apaisé. Il s'assit sur le muret et ferma les paupières. C'était comme s'il était arrivé là où il voulait.

Une ombre surgit au bout du champ de tombes. De petite taille, elle semblait glisser sur le sol. Capuchon sur la tête, longue capille descendant jusqu'au sol. Bouzouk se laissa tomber du mur et, escamoté par les troncs des grands pins, la suivit pas à pas. Une femme, à en juger par sa démarche légère.

Elle allait vite, sans se retourner. Enfin elle s'arrêta devant une tombe très simple. Il s'agissait d'une pierre plate posée sur la terre, et surmonté de deux arbustes fleuris, dont les branches semblaient s'enlacer. Face à la tombe, il y avait un petit banc de pierre, où elle s'assit.

Bouzouk était tout proche. Il la voyait de dos. Elle ne bougeait pas.

Tout à coup monta une mélodie surprenante, égrenée lentement sur des cordes. Bouzouk frissonna. Cette musique, qu'il ne connaissait pas, lui caressait l'âme. Il s'approcha encore, longeant des buissons noirs, contourna la femme pour apercevoir son visage.

Elle eut un mouvement de la tête qui fit glisser son capuchon et il la vit. Il la trouva belle, malgré une coiffe de bure qui encadrait strictement sa figure et couvrait son crâne. Sur ses genoux était posé un gluth qu'elle pinçait d'une main blanche.

Bouzouk vit qu'elle souriait en jouant, mais ce sourire était gravé dans la tristesse. Elle se tut et laissa aller la tête sur sa poitrine pendant un long moment. Bouzouk n'osait plus respirer, de peur de briser quelque chose.

Un carillon tinta au loin, qui la fit sursauter. Elle rajusta son capuchon, salua la tombe d'un baiser furtif de la main et s'en alla en direction du cloître.

Alors Bouzouk marcha vers la tombe. Avec une pensée qui cognait dans sa tête. Pis que clochailles. Lui revenait la phrase de Pilpil :

« Il a trouvé refuge sous un toit de pierre, dans un hameau où rien ne bouge… »

Cela devenait si lumineux soudain.

L'inscription sur la pierre disait simplement : *P. d'A.*

Bouzouk dut s'asseoir à son tour sur le banc de pierre, car le cerveau lui brinquebalait de gauche et de droite. Deux courtes syllabes s'y balançaient.

Ma-man.

La femme à la capille noire.

Ma-man.

MAINTENANT, TOUT BAIGNAIT DANS LA PÉNOMBRE. La tombe de Paulin d'Abba et ses deux arbustes mêlés, le cimetière, le cloître.

Sur le banc de pierre, Bouzouk pleurait en silence. Bouleversé par cette femme à la capille noire qu'il avait vue aller et venir dans ce champ des morts. Cette femme jouant du gluth pour son amant allongé sous la pierre. Sa mère, Guilledouce. Il la verrait, il lui parlerait. Elle savait tous ses secrets d'enfance, de jouvenceau, peut-être.

– Bouzouk ! C'est toi ?

Une main s'abattit sur sa nuque, le souleva, le fit pivoter comme un pantin. Bouffe-Bœuf ! Les joues gonflées de sourires. Et derrière lui, Bel-Essaim, radieuse, Mille-Mots et Ganachon, qui frotta tendrement ses naseaux sur l'épaule du jeune homme.

– Cavalier, tu nous as fait souci.

– J'ai trouvé ma mère, dit sobrement Bouzouk.

Bel-Essaim en eut les yeux attendris. Et le mignard avait l'air si girond dans son suaire de lin...

– Comment m'avez-vous...

–Simple comme bonjour ! gloussa-t-elle. Quand un couvercle de cercueil nous est passé sous le nez avec deux Poufs dessus, on s'est dit qu'il y avait un Petit Gourougou dans les parages.

–Ouiche ! Avant ça, on t'a traqué toute la nuit, frouard ! Dame, tu n'étais pas au rendez-vous ! La belle pétoche que tu nous as causée !

Ils rirent, heureux d'être ensemble. Mille-Mots résuma la pensée de chacun :

–Alors, ta mère ? Raconte !

Ils firent cercle autour de Bouzouk, un peu pâle, qui leur décrit ce qu'il avait vu, c'est-à-dire presque rien.

–Et tu l'as laissée filer, sans lui gambetter après, ni la choper, ni crier son nom ? s'étrangla Bouffe-Bœuf.

Bouzouk montra sa gorge.

–J'avais une enclume, là... Et puis il faut que je trouve des mots de fils, pour lui parler. Je n'ai pas coutume.

–Il te faut des mots ronds, dit le scribrouillon, des mots chauds, pleins de caresses. Je te les soufflerai, le moment venu.

–Laisse, ça viendra tout seul, soupira Bel-Essaim.

La pénombre commençait à s'épaissir. Autour d'eux, un léger brouillard s'était mis à monter du sol, noyant les tombes et les arbres. Comme chaque soir, le cimetière redevenait un lieu étranger aux vivants.

–Allons au cloître, dit Bouzouk. Vous m'attendrez dehors.

Le ton ne souffrait aucune remarque. Bouzouk se devait d'affronter sa mère seul et tout le monde le comprit. Il prit la tête du groupe, le front haut, sans laisser voir à quiconque que son cœur sonnait fort.

Ils s'approchèrent de l'énorme masse blanche, aux angles vifs, que ses larges toits d'ardoise faisaient paraître plus imposante encore. Une forteresse de craie que devaient envier plus d'un capitaine. L'allure d'une prison, aussi, avec des ouvertures étroites, bardées de barreaux, une porte d'entrée en ferraille hérissée de clous. Y régnait un silence de plomb.

Nulle cloche ne pendait à l'entrée. Les visiteurs n'étaient pas les bienvenus.

– Par Kabok la Divine ! C'est mieux gardé que les prisons du Kron, pesta Mille-Mots.

Bouzouk réfléchit. On ne lui ouvrirait pas le portail sans qu'il usât d'un stratagème. Ou de magie, bigregrigri ! N'y avait-il pas un mage dans la troupe ? Les conseils fourmillèrent : et si Bouzouk faisait fondre la porte ? S'il passait à travers les murs ? S'il se mettait à voler ? À serpenter sous terre ? À tomber en pluie ?

– Paix, la meute ! trancha Bouzouk. Laissez-moi cogiter.

Jouer au Petit Gourougou n'était pas de propos. En cette circonstance, il voulait faire l'humain, rien que l'humain !

On le laissa donc cogiter.

– Je vais ressusciter, décida-t-il.

De toute évidence, c'étaient des gens du lieu qui l'avaient enterré près du cimetière. Sans doute des moniales. Qu'il leur réapparaisse soudain et elles tomberont à genoux ! L'idolâtreront ! Le cloître lui sera ouvert à jamais.

– Belle ruse, opina Mille-Mots, qui avait été autrefois jardinier dans un couvent. Si je me souviens bien, ces dames font deux promenades. Une à l'aube, l'autre à la tombée de la nuit. Ça ne devrait pas tarder.

Ils s'égaillèrent dans la nature. Étant convenu que seul Bouzouk agirait, les autres regardant.

Le scribrouillon avait raison. Il y eut d'abord le grincement du volet, avec l'œil qui scrutait alentour. Puis l'un des vantaux s'ouvrit et les moniales défilèrent, robe de bure noire, cornettes et sandales noires. On eût dit des corbaillons volant à la queue leu leu.

Bouzouk se tenait prêt à bondir, tapi au milieu des fourmilles.

La colonne trottinait, mains jointes, pas cadencé. Elle arrivait presque à sa hauteur. Le jeune homme avança sur le chemin en titubant, les bras écartés, levant son visage vers le ciel.

Il se trouva que sœur Pimpole marchait en tête. Lorsqu'elle vit se matérialiser devant elle le corps qu'elle avait enterré la veille, elle se mit à galoper dans l'herbe en hurlant :

— Gozar a renvoyé un mort de chez les ombres molles ! Ici, au cloître d'Orfroi ! Mes sœurs, nous sommes élues !

Bouzouk continuait à zigzaguer, souriant d'un air extasié.

Sœur Fossette et sœur Bout-d'Ange reconnurent elles aussi le mort et se réjouirent, bénissant le ciel. Surtout sœur Bout-d'Ange, qui trouvait que Bouzouk avait fière allure.

En quelques secondes, les moniales furent toutes à genoux et entonnèrent les louanges de Gozar et de son fils, Zout.

Puis Bouzouk trébucha, s'effondra sur la mousse. Cinquante moniales l'entourèrent, l'éventèrent qui de sa cornette, qui d'un pan de sa robe. Elles se disputèrent l'honneur de le transporter, tirant un bras, une jambe.

Sœur Pimpole les chassa d'un geste et, avec un « han ! » de glébeux soulevant un baquet, elle flanqua le ressuscité sur son épaule.

Bouzouk avait désormais ses entrées au cloître d'Orfroi.

CHAPITRE 8

L A PRÉSENCE D'UN HOMME, FÛT-IL UN ENVOYÉ DE GOZAR, le dieu des dieux, causa un certain émoi dans la petite communauté des moniales. On s'agitait fort. Tant même que les pensionnaires furent bouclées dans leur cellule respective. Le temps qu'il faudrait, affirma mère Giron, la supérieure du cloître. Elle confia à l'impassible sœur Pimpole le soin de s'occuper du nouveau venu.

On installa Bouzouk dans une petite chapelle désaffectée, afin qu'il se reposât de l'immense voyage qu'il venait d'accomplir. On le vêtit d'une chemise et de chausses ayant appartenu à un moribond, on lui donna à boire. Puis, *clic-clac*, on l'enferma.

Le jeune homme déchantait. Lui qui croyait pouvoir rencontrer sa mère en un tournemain, voilà qu'il se trouvait isolé, avec pour seule compagnie une monumentale statue de Gozar. De temps en temps, *clic-clac*, sœur Pimpole venait s'assurer que tout allait bien et *clic-clac*, elle refermait la petite porte à clé. En silence car personne ne lui avait appris à parler aux hommes. Qu'ils soient vivants, morts ou ressuscités.

Bigremouise ! c'était une catastrophe.

Il se passa une longue nuit sans que Bouzouk entrevît la moindre solution. Bondir sur sœur Pimpole et l'assommer n'était pas une bonne idée. Ni gémir qu'il avait mal au ventre afin qu'elle l'emmène à l'infirmerie. Ni la supplier. Ni rien de ce genre. Ça ne marcherait pas ; sœur Pimpole était du genre inébranlable et pesait plus de trois cents livres.

Justement, *clic-clac*, elle entrait, portant un plateau où fumait un bol. Elle venait jusqu'au lit, se penchait sur lui.

Alors il lui dit toute la vérité. Simplement, comme un fils qui cherche sa mère. D'abord effrayée par cet homme qui s'adressait à elle, mais avec des mots sincères, elle finit par s'asseoir sur un tabouret, à côté du lit, et l'écouta. L'histoire était triste et belle.

—Cette dame dont tu parles s'appelle sœur Silence. Personne ne l'a jamais approchée. Elle vit dans une petite cellule, près de la chapelle. Je peux te montrer sa fenêtre, qui surplombe le puits.

Bouzouk était déjà debout, le cœur à vif. Il se retint de sauter au cou de la moniale.

—Suis-moi, revenant. Si elle est ta mère, tu as le droit de la voir. Seulement la voir, car personne ne doit lui parler.

Clic, cette fois, la porte laissa passer Bouzouk suivant sœur Pimpole. Ils longèrent un long promenoir aux colonnes de pierres sculptées, traversèrent un jardin odorant. Sœur Pimpole lui montra le puits et, juste au-dessus, la fenêtre étroite.

—Tu auras peut-être la chance de l'apercevoir. Parfois, à l'aube, elle regarde le soleil se lever. Avec un visage gris et chagrin. Comme le tien lorsque je t'ai ramassé mort dans le ravin.

Puis elle s'en alla. Bouzouk se posta près du puits, fixa l'ouverture vide et sombre. Attendre ! Encore attendre ! C'était insupportable.

Le mur était fait de grosses pierres disjointes. Il l'escalada facilement, jusqu'à s'élever à hauteur de la fenêtre. Il attendit quelques secondes puis avança la tête.

Elle était là. Assise en tailleur, les yeux fixés sur ses doigts qui égrenaient un chapelet. Vêtue d'une robe informe, couleur de terre. Elle n'avait pas sa coiffe de bure. Les cheveux étaient courts, encore noirs malgré quelques mèches grises.

À part le gluth reposant au sol, la cellule était vide.

Bouzouk se hissa sur le rebord de la fenêtre et elle le vit. Tout de suite il fit un geste d'apaisement, mais elle n'avait pas bougé, pas même cillé. D'une voix nouée, il dit :

– Je m'appelle Martial.

Un sourire lui répondit, deux yeux ronds, étonnés, interrogatifs. Elle remua les lèvres mais aucun son ne sortit.

– Je suis ton fils, n'est-ce pas ?

Bouzouk n'eut pas besoin de montrer son rubiole. Il sut qu'elle le reconnaissait, à ses mains qui tremblaient, à ses narines palpitantes. Il sauta dans la cellule, doucement, pour ne rien brusquer.

Mais elle ne se leva pas, ne courut pas vers lui, ne le serra pas dans ses bras. Simplement elle le regardait.

– Maman… commença Bouzouk.

Puis, hagard, les poumons sur le point d'exploser, il se tourna vers le ciel rosissant, où le soleil commençait à poindre. Il ferma les paupières, ses poings fermés rageusement sur le rebord de la fenêtre. Pourquoi ne disait-elle rien ? Pourquoi ne pleurait-elle pas ?

Il sentit soudain deux bras l'entourer, deux mains se poser sur sa poitrine, et un corps s'appuyer contre lui. Il sentit une tête se nicher sur son dos. Alors il se retourna et le bonheur le remplit comme s'il coulait en lui. Cette femme était sa mère, il le savait, il le sentait par tous les pores de sa peau, même s'il ne la reconnaissait pas. Il la serra très fort, très longtemps.

– Maman... balbutia-t-il. C'est toi, bien vrai ?

Elle le regardait, lui caressait les joues, les tempes, jouait avec les boucles rousses de ses cheveux, pleurait enfin, avec un sourire qui plissait son nez.

Bouzouk dit comment il l'avait retrouvée. Il lui raconta tout ce qu'il savait de sa propre vie, de la sienne et de celle de son père, de Paulin d'Abba. Il évoqua sa quête insensée, et enfin, il lui confia ce qu'il espérait d'elle.

– Parle-moi des années passées ensemble. Redonne-moi mon enfance, mes souvenirs de jouvenceau, mère. Je t'en supplie.

Les yeux de Guilledouce lui disaient plein de choses, et ses mains aussi, qui empoignaient les siennes.

Mais la bouche, elle, était celle de sœur Silence.

CHAPITRE 9

ONGTEMPS TOUS DEUX SE TINRENT SERRÉS L'UN CONTRE l'autre, muets, tremblants. Bouzouk avait admis que sa mère ne parlât point, mais il l'attribua au choc des retrouvailles. Il attendrait que la parole lui revînt, dût-il patienter dix lunes !

Jusqu'au moment où, lui prenant le visage dans ses mains, Guilledouce bougea ses lèvres lentement, sans articuler un mot. Bouzouk y lut cinq mots. Une phrase assassine, qui lui ôta tout espoir.

Les lèvres disaient : « J'ai fait vœu de silence. »

Silence. Sœur Silence. Sa mère s'était donc tue à jamais. En une seconde, tout s'effondrait une nouvelle fois. Il ne saurait rien de sa vie de jouvenceau. Sa mémoire d'enfance était décidément perdue.

Des arpèges sonnèrent dans la cellule. Guilledouce avait pris le gluth et parlait à son fils, avec les seuls mots qu'elle s'était donné le droit de prononcer : les notes.

C'est ainsi que les trouva mère Giron, que sœur Pimpole avait fini par prévenir. Bouzouk accroupi contre le mur de pierres et sœur Silence, pinçant inlassablement son gluth. Elle ne demanda aucune explication. Ce qu'il y avait entre cette femme et ce jeune homme était visible à l'œil nu. Elle entraîna Bouzouk hors de la cellule, lui permettant d'y revenir quand il le voudrait.

Ils firent quelques pas dans le jardin, parmi les buissons de lysses. Aux questions de Bouzouk, la supérieure répondit sans détour.

Sa mère était au cloître depuis plus de cinq années. Knut le Retors, alors roi d'Opule, l'y avait enfermée, après la guerre qu'il avait dû mener contre Morte-Paye, venu réclamer sa femme. Guerre longue, coûteuse en vies. Certes, Morte-Paye avait été défait, mais Knut le Retors ne pardonna pas à son cousin Paulin d'Abba. Une histoire d'amour ne valait pas sang d'homme, d'après lui. Il fit étrangler le trouvamour par son bourreau, sous les yeux mêmes de sa maîtresse, et condamna celle-ci à prendre le voile à Orfroi. Sans une once de pitié.

Il accepta toutefois que Paulin d'Abba fut enterré dans le petit cimetière du cloître. Mais on brûla l'œuvre entière du trouvamour, on interdit l'évocation de son nom. Tout ce qui lui appartenait fut détruit. Guilledouce ne réussit qu'à sauvegarder son gluth.

Les premières semaines de son enfermement au cloître furent terribles. Cadenassée dans une cellule, elle hurlait les vers de Paulin d'Abba, criait son nom sans fin. Le jour, la nuit. Elle déversait des torrents d'injures sur Knut le Retors, sur son mari, les maudissait sans relâche. Sa bouche était l'unique seuil de sa douleur, et ses cris s'entendaient loin à la ronde.

Puis une nuit, elle se tut. Peut-être n'avait-elle plus de mots, plus de plaintes. Peut-être était-elle allée au-delà de ses souffrances. Elle convoqua mère Giron et lui signifia qu'on ne l'entendrait plus jamais. De même qu'elle n'écrirait plus, ne lirait plus. Elle fit vœu de silence absolu. Quoi qu'il arrivât désormais.

Pour tous, elle devint sœur Silence.

À partir de ce moment-là, elle eut le droit de circuler dans le cloître, à condition que personne ne la croisât ni ne lui parlât, comme l'avait ordonné le roi. Chaque soir elle se rendait sur la tombe de son amant, avec son gluth. Le reste du temps, elle priait.

Quand mère Giron se tut, Bouzouk tenta de garder bonne figure. Pourtant il avait envie de hurler, de vomir le nom de Knut le Retors, de son bourreau, de tous ceux qui avaient fait le malheur de sa mère. Mais il préféra garder au fond de lui son chagrin et sa colère. Pour s'en resservir un jour, qui sait, comme d'une arme vive.

Il retourna dire adieu à sa mère. Elle l'accueillit d'un sourire lumineux qui lui chauffa le cœur.

—Je pars, dit-il. J'ai encore beaucoup de choses à apprendre.

Il n'osait dire «Je reviendrai» mais elle le devinait. Sinon, l'aurait-elle laissé partir? Elle se leva, lui prit la main, l'entraîna à la fenêtre. Ensemble ils regardèrent le ciel bleu où couraient sans cesse les nuages. Longtemps, en silence.

Puis Bouzouk prit le visage de sa mère entre ses deux paumes, plongea ses yeux dans les siens et dit:

—Mon père prétend que tu m'as abandonné. Est-ce vrai?

Elle tressaillit, comme si une pique s'était enfoncée dans son dos. Ferma les paupières, d'où jaillit une larme. Puis elle articula silencieusement un mot, avec toute la force dont elle se sentit capable.

« Jamais. »

Il la crut. Bien sûr, il la crut. Ce mot n'expliquait rien, mais scellait entre eux une certitude, celle de l'amour de Guilledouce pour son fils. Bouzouk sut que sa mère disait la vérité. Un immense soulagement le saisit.

Il se sentit soudain léger. Il enlaça sa mère, déposa un long baiser sur le front bombé. Avant de quitter la cellule, il parla de ce presque-père qu'il s'était choisi, Paulin d'Abba, et cela fit naître des étoiles dans les yeux de sœur Silence. Pendant un instant, elle eut à nouveau dans la bouche le goût du bonheur.

Bouzouk la laissa seule. Il n'avait pas fait dix pas que le son du gluth lui parvint. Une musique vive, gaie.

Comme le brouhaha qui l'accueillit, lorsqu'il déboucha dans le jardin, pour en respirer une dernière fois le parfum. Tout autour, sous les voûtes du promenoir, les moniales s'étaient alignées côte à côte. On leur avait permis de saluer le voyageur en chantant un cantique.

Sœur Bout-d'Ange ne rata pas l'occasion. Lorsque Bouzouk passa à sa hauteur, elle lui envoya un baiser avec la main (que Gozar lui pardonne!). Mère Giron embrassa Bouzouk au nom de toutes, et sœur Pimpole ajouta qu'il était désormais ici chez lui. Puis les moniales entonnèrent le cantique.

Avant de quitter le jardin, Bouzouk jeta un dernier coup d'œil vers la fenêtre de sa mère. À travers les frondaisons, il la vit, petite ombre grise immobile, tendue vers lui.

Cinquième partie

Crasse-Pogne

CHAPITRE 1

BOUZOUK RETROUVA SES COMPAGNONS VAUTRÉS DANS UN champ de picons, sur une petite colline dominant le cloître. Ils y avaient passé la nuit, scrutant l'obscurité, attentifs au moindre bruit, nerveux, inquiets. Leurs visages étaient grisâtres, leurs yeux rougis. Au bruit que fit le jeune homme, ils se levèrent comme un seul homme et lui firent fête.

Bouzouk narra son histoire, et comment la piste de sa mémoire venait de s'arrêter net, avec le terrible vœu de sœur Silence.

– Retrouver sa mère, c'est déjà renaître, affirma Mille-Mots.

Ganachon et Bouffe-Bœuf se mirent à fredonner quelques gais couplets, tandis que Bel-Essaim dansait. Bref on consola à foison et Bouzouk songea qu'il avait des amis précieux.

Cependant sa quête piétinait, ô combien. Entre un presque-père à six pieds sous terre, un père à la parole haineuse et une mère muette, son passé s'effilochait sans cesse. Quant à Crasse-Pogne, le géant à barbe verte, il s'était évanoui dans le vent de la plaine.

Au désarroi de Bouzouk, ses compagnons répondirent par une volonté intacte de l'aider à poursuivre.

– On ira jusqu'au bout, pistounet ! tonna Bouffe-Bœuf. C'est qu'on est curieux, nous autres, Bougres !

On décida de retourner aux environs du château de Knut le Fourbe. Puisque c'est là que Crasse-Pogne avait disparu, qui sait s'il n'y réapparaîtrait pas ? Ce n'était ni judicieux, ni enthousiasmant, mais personne n'avait un meilleur plan.

Leurs labourrins paissaient non loin, dans un pré. Il n'en restait que trois. Ganachon s'était depuis longtemps débarrassé du sien, vu sa tendance à dégringoler tous les cinq pas. Il offrit son dos à Bouzouk, qui ne le refusa point.

Les cinq compagnons se mirent en route vers le sud.

En chemin, ils avisèrent une gargote enfumée à souhait, qui empestait la souparde. Quelques lampées de kohol leur feraient du bien à tous, affirma Mille-Mots, qui pensait surtout à sa gorge asséchée. Il lui tardait de l'humecter à foison.

Il régnait dans la salle sombre un infernal tohu-bohu que rien ni personne n'aurait pu déranger, pas même un cheval de dix coudées s'asseyant à une table. L'aubergiste prit la commande et les chopilles commencèrent à valser comme poupillons autour des cinq amis. Les langues, arrosées plus que de raison, se délièrent. Chacun conta ses aventures d'avant l'épisode d'Orfroi.

Outre ses déboires avec le labourrin, Ganachon s'était égaré autant de fois qu'il l'avait pu, avec ténacité. Il faut dire qu'il effrayait tous ceux à qui il demandait sa route.

Mille-Mots, lui, avait rencontré une liseuse de main, qui, contre une poignée de brouzes, l'envoya au fin fond de l'ouest, dans le petit village d'Uzthxkx. Là où, selon elle, avait lieu à chaque nouvelle lune le banquet des trouvamours. Le seul trouvamour qu'il y trouva, un nommé Lorgne-Cul, était ivre mort et ne parlait que le cacatois.

Bel-Essaim et Bouffe-Bœuf se répandirent en anecdotes amusantes, dont une bataille contre un Pouf atteint de la rage.

À son tour, Bouzouk ouvrit la bouche pour régaler ses amis de ses aventures, lorsque son œil rencontra un visage familier, à moitié mangé par la pénombre du lieu. Où avait-il déjà vu ce nez monstrueux, en forme de poire blette ? Il tendit l'oreille, reconnut cette fois la voix nasillarde. Par Zout le Glabre ! La coïncidence était de taille ! Que faisait ici cette canaille de Tarin ? Celui-là même qui s'était enfourné quelques pages de son premier grimoire ! Le petit zolier des faubourgs de Zoleil !

Bouzouk se leva et alla droit vers lui. L'autre le reconnut tout de suite et son premier réflexe fut de se protéger la face de ses deux coudes relevés.

— Ne me frappe pas, seigneur ! gémit-il.

Bouzouk s'assit à côté du zolier, tandis que dix figures avinées se tournaient vers eux.

— La bruine noirâtre de la mine ne t'a donc pas brûlé la poitrine, mouflard ? Ou t'es-tu enfui avant que le zol ne te tue ?

Tarin baissa les coudes, surpris de ne pas recevoir de gifles. Il dévisagea Bouzouk avec terreur, puis lâcha, en bredouillant :

— Je voulais voir un peu de pays, avant de mourir, seigneur.

Voyant l'air incrédule de Bouzouk, il ajouta précipitamment :

– Ggrok m'enfourrache si je mens !

Naturellement il mentait ; son regard torve, son museau chafouin, tout disait qu'il mentait. Sans parler de ses compagnons de tablée qui avaient plongé leur nez dans leur chopille de kohol. Bouzouk flaira du louche. Qu'avaient-ils donc à cacher, ces masques de cauchemar ? Bouffe-Bœuf et les autres s'étaient rapprochés et formaient cercle autour d'eux. La tension monta d'un cran, mais Bouzouk préféra éviter l'affrontement. Il y avait mieux à faire qu'une échauffourre. Il commanda force kohol et en rassasia la tablée tout entière. Y compris les deux Bougres et Mille-Mots, ravis de l'aubaine. Il va sans dire que Bouzouk faisait mine de boire. Ganachon, comme à l'ordinaire, resta sobre.

Ils burent au royaume d'Opule, à Ggrok, à Knut le Fourbe. Ils burent à la santé de Ddrôg, Rrôdar, et à tous les Bbroins des Marais-Puants. Ils burent tant et tant qu'à la fin la plupart étaient affalés sur la table, le ventre gonflé, la tête concassée. Tarin, qui avait des beuveries une certaine expérience, résista un peu plus que les autres. Puis il finit par brailler qu'il aimait Bouzouk comme un frère, et lui confia un secret plus lourd que le plomb. Celui qui l'avait amené au royaume d'Opule.

– On a besoin de nous, ici, criquouillon. Nous, les chercheurs de zol, les bouffailleurs de fumée ! On nous aime ! On nous veut !

Tarin hurla qu'on lui remplisse sa chopille et poursuivit d'une voix pâteuse et rauque, que Bouzouk avait du mal à comprendre. Le zolier parla d'une mine de picaille, au plus profond des roches. Une mine exploitée depuis si longtemps que le sous-sol était devenu aussi friable qu'une croûte de pain sec. On avait besoin de spécialistes pour la consolider, et on était venu les chercher à Zoleil. Lui, Tarin, freu parmi les freux, était de ceux-là. Et même leur chef ! Voui, monseigneur ! Présentement, travail terminé, Tarin s'en allait plus au nord, avec sa bande. Le maître de la mine l'ayant chargé de convoyer un chargement de haute futaie. Voui, mon prince !

Bouzouk en resta coi. La picaille ! Le métal le plus précieux qui soit. Celui qui faisait rêver les rois et les voleurs, les soldards et les glébeux. La picaille légendaire qu'on croyait réservée à Gozar, là-haut, dans son palais divin. Bigreflouze ! Voilà pourquoi le château de Knut le Fourbe croulait sous un luxe effréné ! Voilà pourquoi le Kron tentait d'envahir la terre d'Opule avec ses capitaines, les Morte-Paye et compagnie ! Si les richesses l'avaient intéressé, Bouzouk eût trouvé pâture dans cette surprenante révélation ! Mais la picaille lui importait peu. Il avait d'autres desseins.

Tarin bafouilla encore quelques mots, avant de s'écrouler face contre table en grognant :

– Maître Crasse-Pogne nous paiera de bonne picaille, il l'a dit !

Crasse-Pogne ! Le nom sonna comme trompettes aux oreilles de Bouzouk. Le géant à barbe verte surgissait du néant au bon moment.

CHAPITRE 2

ALORS QUE LA GARGOTE RÉSONNAIT DU RONFLEMENT DES soiffards, Bouzouk installa sur le dos de Ganachon les corps inertes de Tarin, Mille-Mots et des Bougres. Personne n'avait résisté au kohol.

Il chercha un champ bien herbu, ombragé, et y coucha ses trois compagnons. Un ruisseau glougloutait non loin, sous d'épais saules. Bouzouk y plongea plusieurs fois Tarin, l'eau glacée étant salutaire pour la maladie qu'il avait. Le zolier toussa, cracha, s'ébroua, s'éveilla enfin. Il se palpa le crâne, où tambourinaient mille grelots, grimaça. Ses yeux ressemblaient à une paire d'huîtres cuites.

– Un jour, tu te réveilleras chez les ombres molles, à force de te truffer le gosier, pisse-dru ! ricana Bouzouk.

Tarin promena un regard éberlué autour de lui. Bouzouk lui expliqua la situation, et rappela au zolier leur conversation récente. L'autre eut un haut-le-cœur.

– J'ai donc bavotté à tort et à travers, balbutia-t-il.

– Continue. J'en veux davantage.

Et Bouzouk lui fit cracher tout ce qu'il savait sur Crasse-Pogne, le géant à la barbe verte. Tarin l'avait rencontré

241

à Zoleil, en Kronouailles, où l'homme était venu embaucher des zoliers. C'était le chef de la mine, pour laquelle il chassait et capturait des esclaves, les taupions, afin d'exploiter les filons de picaille. Il ne rendait de comptes à personne, sinon au roi d'Opule lui-même, dont il était l'âme damnée. L'exécuteur des basses besognes. Cela depuis trois générations, car Crasse-Pogne avait servi Knut le Chafouin puis Knut le Retors, avant d'obéir à Knut le Fourbe. Savait-il ce qu'il était advenu au dernier roi d'Opule? Savait-il que le château était désert, les courtisards défenestrés et les Bblettes carbonisées? Tarin l'ignorait. Crasse-Pogne n'était pas du genre à faire des confidences.

Ce dont le zolier était certain, c'était que la mine de picaille se trouvait à une portée de flèche du château.

– Tu vas me conduire là-bas, et à toute allure, croupiaud! dit Bouzouk.

Le ton était sans réplique. Tarin se mit donc à trottiner droit devant lui, sous le soleil plus pesant qu'un chapeau de pierre. Bouzouk et Ganachon suivaient, l'un chevauchant l'autre, comme de coutume. Ils laissaient derrière eux les deux Bougres et Mille-Mots, étendus sous l'ombre fraîche des saules.

Le soir, ils parvinrent en vue du château du roi d'Opule, dont la lourde silhouette se profilait à l'horizon. Bouzouk, miséricordieux, avait fini par faire grimper le zolier sur Ganachon. L'homme s'agita soudain.

– Pied à terre, seigneur, l'entrée de la mine est proche.

Proche mais invisible. D'après Tarin, l'orifice était blotti dans un nid de broussailles. Crasse-Pogne prétendant que la Nature valait mille créneaux de forteresse, ajouta-t-il.

Ils fouillèrent longtemps alentour avant de découvrir les marches d'un escalier qui s'enfonçait dans le sol. Bouzouk comprenait pourquoi, l'autre jour, Crasse-Pogne et sa piétaille de taupions avaient disparu sans laisser de traces.

Le passage était beaucoup trop étroit pour que Ganachon pût s'y glisser, à son grand dam. Il pesta d'abondance.

– Cesse de bougonner, dit Bouzouk. Que je conserve de toi un souvenir aimable. Surveille Tarin !

Et il s'engouffra dans le trou.

Le jour disparut peu à peu, et les bruits de la surface. Nulle lumière, le silence pesant comme un couvercle. La pénombre s'épaississait de marche en marche. Bientôt Bouzouk s'arrêta de descendre, car ses mollets clapotaient. De l'eau courait sous lui. Il devina une rivière souterraine, qui barrait le passage.

Comment la piétaille, chevilles enchaînées, avait-elle pu la franchir ? Crasse-Pogne était-il aussi magicien ?

La réponse vint très vite. Un énorme grincement fit trembler les murailles et, avec un claquement sinistre, une passerelle de fer vint s'abattre à ses pieds. La lumière d'une torchère surgit au fond d'un tunnel, projetant des ombres sur les parois ; des silhouettes armées de piques, lui sembla-t-il. Bouzouk n'eut que le temps de se glisser dans l'eau. Il se nicha sous la ferraille, qui cliqueta furieusement. Puis le bruit des pas s'évanouit.

Bouzouk s'agrippa à la passerelle alors qu'elle se relevait pour obstruer de nouveau l'entrée du tunnel. Il s'y hissa d'un coup de reins, juste avant qu'elle ne gifle les pierres. Bascula sur le sol, dégoulinant d'eau glacée, hors d'haleine.

Des lueurs dansaient sur les murs. Loin, au bout du tunnel, brillait un rectangle de lumière plus vive. Il entendit des bruits étouffés, des plaintes. Il trotta le long de la paroi et déboucha sur une immense cavité, aux parois flanquées de torches, criblées de galeries qui partaient dans tous les sens : la mine de picaille. Quelques taupions aux chevilles enchaînées s'acharnaient à pousser de petits chariots de bois. D'autres fourmillaient parmi des tas de pierrailles, ou zigzaguaient au milieu de flaques graisseuses. Montaient des effluves de sueur, de peur, de violence et de misère. Bouzouk sentit la rage lui serrer l'estomac.

– Bouge pas, bousard ! meugla une voix.

On lui titillait le dos avec la pointe d'une pique, on le bousculait. Une bourrade rageuse l'envoya au sol. À hauteur de son nez surgirent deux énormes bottes. Chaque pied mesurait bien une coudée, au bas mot.

– Que fais-tu dans ma mine, rognure d'ongle ?

Bouzouk releva la tête. Tout en haut, campée sur deux épaules aussi larges qu'une croupe de labourrin, une large barbe verte, surmontée d'un long nez et de petits yeux porcins, s'agitait autour d'une bouche. C'est cette bouche qui venait de parler.

Sans nul doute, elle appartenait à Crasse-Pogne.

MALGRÉ LE GARDE QUI LUI ÉPERONNAIT LE BAS DU DOS et l'épouvantable colosse prêt à le fendre en deux, Bouzouk était en joie. Il tenait son grimoire ! Il regardait Crasse-Pogne avec un sourire radieux et cela déplut au géant.

– Tu te crois chez Jouja, l'amie des poètes ? éructa-t-il. Par Ddrôg, bâtard ! Je suis Crasse-Pogne, entends-tu ?

Le sourire de Bouzouk s'étira plus encore.

– J'entends bien, gradoublon ! C'est toi que je cherchais, personne d'autre.

Le barbu cilla des yeux, estomaqué. Gradoublon ? Ce têtard l'avait appelé gradoublon ? Il saisit la tignasse de Bouzouk et souleva le jeune homme jusqu'à lui souffler dans le nez une haleine puant la charogne.

– Dis-moi ce que tu veux. Ensuite, je choisirai pour toi une mort pleine de souffrances. J'ai beaucoup d'expérience.

– Quel vantard tu fais, soupira Bouzouk. Écoute-moi bien, pue-gosier : je suis venu chercher un grimoire qui m'appartient.

Crasse-Pogne sentit son sang gonfler ses veines. D'un geste il chassa le garde et s'engouffra dans un corridor. Il traînait Bouzouk derrière lui comme un sac de blute. Ouvrant d'un coup de pied une porte, il envoya le jeune homme rouler sur le sol de terre.

–Qui t'a parlé de grimoire, poucet? hurla-t-il. Personne ne doit savoir! Tu m'entends? Personne! S'il se colporte que Crasse-Pogne a besoin de grimoires de jouvenceau, alors, c'en est fait de ma réputation.

Il sortit de son étui un énorme couteau qu'il se mit à aiguiser du plat de sa main.

–Je vais te tuer tout de suite, murmura-t-il.

Bouzouk n'avait pas fait tout ce chemin pour être égorgé par un ogre. Il décida de gagner du temps. D'abord l'emmieller de paroles ronflantes.

–Le roi des Kronouailles n'aime pas qu'on lui vole ses zoliers ni qu'on asservisse ses sujets! Ta sale tête de skonj est mise à prix, Crasse-Pogne. Nous sommes mille à te chercher et je suis le premier de la meute. Si tu me tues, il en viendra d'autres et d'autres encore.

Crasse-Pogne éclata d'un gros rire. Tant de naïveté lui chatouillait les côtes. Ce freluquin méritait la vérité.

–Sornettes, criquon! Autrefois, j'ai pillé, violé, rançonné, tué pour le roi des Kronouailles! L'aurait-il oublié? Lui et tous les seigneurs et capitaines que j'ai servis, partout, depuis toujours? Allons donc! Aujourd'hui, mon maître est le roi d'Opule.

–Était, sac à meugles! La cervelle de Knut le Fourbe est partie en fumée, et toi avec! Tu n'as plus de protecteur, à présent.

Crasse-Pogne haussa les épaules.

– Si tel est le cas, j'en trouverai un autre, rognard ! Opule ne restera pas longtemps sans monarque ! Les puissants ont toujours besoin de malfaisants comme moi ! Les crimes que j'ai commis sont plus nombreux que les vagues de la mer ! Sais-tu que je suis bourreau ? Que j'ai décapité, garrotté, pendu à tour de bras ? Des glébeux, des princes, des trouvamours, des courtisards !

Crasse-Pogne avait les yeux larmoyants, à force d'évoquer ses effroyables turpitudes. Il s'y voyait encore, il reniflait l'odeur du sang et de la mort.

Quant à Bouzouk, il venait en un éclair de comprendre qu'il tenait devant lui l'assassin de Paulin d'Abba ! Par Gozar ! Comme le monde était petit !

L'ogre continuait, le regard dans le vague.

– J'ai tant et tant tué, criquaillon, que j'ai besoin d'une pause, parfois. De pureté, d'innocence. Alors j'engouffre des grimoires de jouvenceau, comme celui dont tu parles. Quelques souvenirs bouffaillés dans mon antre me lavent l'âme plus que tout au monde. Ainsi puis-je m'abreuver à nouveau de crimes et de haine, tant mon appétit est grand !

Il alla droit vers un petit meuble, qu'il ouvrit, découvrant nombre de tranches en cuir. Des grimoires. Puis se tournant vers Bouzouk :

– Quel est ton nom ? T'en souviens-tu, au moins ?

– Je suis Martial de Morte-Paye, bouffon !

L'ogre ricana. Avec une exclamation satisfaite, il sortit du meuble un grimoire à la couverture de cuir. Le cœur de Bouzouk sautilla.

– Voici le tien. Il m'a été vendu par un vieux scribrouillon de Zoleil, dans la ville basse. Je vais le gober devant toi, pour que tu saches exactement ce que tu perds. Ensuite, je te tuerai.

Bouzouk n'hésita pas. Un monstre pareil était indigne d'un duel loyal. Il remua l'orteil sans l'ombre d'un scrupule, hop ! et Crasse-Pogne s'emplit soudain de glu. Son corps se figea, tremblotant comme de la gelée. Il vit Bouzouk s'approcher de lui, le regard fulminant.

– Le nom de Paulin d'Abba te dit-il quelque chose, blairotin ? Tu l'as étranglé jadis. Ce faisant, tu as réduit ma mère à la douleur, au silence. Et tu as fait de moi un orphelin. Je n'aurai pas pitié de toi.

La voix de Bouzouk s'était faite pierre et glace. Il passa dans le regard de Crasse-Pogne quelque chose qui ressemblait à de l'effroi.

– Que Gozar te pardonne, murmura le jeune homme en empoignant son grimoire.

Ce fut comme s'il venait de tirer la trappe sous les pieds d'un pendu. L'ogre rempli de glu devint aussi mou qu'un pain de cire dans la flamme. Il se mit à dégouliner, puis à fondre. Jusqu'à devenir une mare noirâtre, bouillonnante, que la poussière du sol absorba très vite.

Cette fois-ci, Crasse-Pogne avait payé cher son besoin d'innocence.

Chapitre 4

PUISQU'IL AVAIT COMMENCÉ À REMUER SON ORTEIL, Bouzouk ne s'arrêta pas en chemin. Il parcourut la mine en rameutant tous les taupions, qu'il libéra de leurs chaînes, hop! en un clin d'œil, puis transforma les gardes, hop! en lombrics. Quand les taupions chantant, dansant, beuglant des «Vive Bouzouk Ier!», furent en route pour la surface, hop! il tapissa parois et sol de fiente. Histoire d'empuantir l'atmosphère de la mine pour les siècles à venir. Enfin, hop! il obstrua toutes les galeries avec du plomb.

À son tour il remonta l'escalier de pierres, sans oublier, hop! de muer l'écume de la rivière souterraine en sombres dragorets, sifflant, à langue de vipère. Par Zout le Glauque! Celui qui réussirait à remettre en route la mine de picaille devrait avoir le cœur bien accroché!

Lorsque Bouzouk surgit du sol, il fut accueilli par des taupions en délire. Les uns se roulaient dans l'herbe, fous de bonheur. D'autres caracolaient sur la croupe de Ganachon, qui gambadait comme un poulain. Certains regardaient le soleil couchant avec vénération. Même Tarin le zolier était de la fête.

Il ne resta plus qu'à sceller définitivement l'orifice de la mine. Bouzouk s'exécuta sous les cris des taupions. Il fit tomber du ciel, hop ! un nuage de pierres et le trou fut bouché d'un seul coup.

Bouzouk avait glissé le grimoire sous son vêtement, entre chair et tissu. Il sentait le grain du cuir, et l'impatience le rongeait. Mais il ne voulut pas goûter ses nouveaux souvenirs sans ses compagnons. Il leur devait le goût de sa mémoire, il leur devait son passé reconquis, et bien plus encore. Il héla Ganachon, puis ils quittèrent la horde des taupions, qui apprenaient déjà à redevenir des hommes.

Ils prirent le chemin du nord, et la nuit bientôt les enveloppa. Ils chevauchèrent jusqu'à l'aube, l'un veillant à ce que l'autre ne s'assoupît point. Dans le champ herbu et moussu, près du ruisseau, Mille-Mots et les deux Bougres dormaient encore, d'un sommeil qui durait depuis plus d'un jour entier. La cavalcade de Ganachon les éveilla brutalement. Mille-Mots se mit à hurler qu'il fallait partir sur-le-champ, et qu'on avait perdu assez de temps comme ça. Bel-Essaim et Bouffe-Bœuf se dressèrent, hagards, haletants. On bâilla, on s'ébroua. Enfin chacun reconnut cheval et cavalier. Fous de joie, tous firent cercle autour d'eux.

– J'ai retrouvé et tué l'ogre à la barbe verte, dit doucement Bouzouk. J'ai ici le deuxième tome de mes mémoires. Nous allons le lire ensemble, si vous voulez.

S'ils voulaient ! Cette question ! Ils s'affalèrent tous dans la rosée et arrondirent l'œil et l'ouïe.

Bouzouk ouvrit le grimoire d'un geste lent, comme s'il avait gommé l'impatience qui le grignotait. Il s'attendait à tout, à rien, à peu. Bien sûr quelques feuilles avaient été arrachées par Crasse-Pogne, qui ne savait pas lire, et les avalait. Mais il y trouva l'essentiel de sa vie de jouvenceau. De quoi étancher sa soif d'enfance.

LES PREMIÈRES PAGES DU GRIMOIRE FURENT PAREILLES À des friandises. Au fil des mots, les images naissaient puis dansaient sur la langue de Bouzouk.

La cour de Morte-Paye était remplie de chansons, de notes égrenées sur des gluths par des mains parfumées. Il y régnait la caresse des mots, la tiédeur des murmures. On y parlait d'amour et d'art, on se promenait dans des jardins enivrants. Les femmes y étaient belles, drapées dans des habits de soie froufroutante ; elles agitaient des éventails en mesure, elles se cachaient derrière leur main pour rire. Les hommes y avaient fière allure, non point celle des capitaines, des seigneurs de guerre, mais celle des trouvamours et des jongleurs, celle des amants bienheureux. On troussait des poèmes, on les lisait, on les lançait dans le vent, sur l'eau calme des bassins. Puis on les oubliait et on recommençait. Tout était cousu de serments échangés, de mélodies sucrées ou graves. Oiseaux et poupillons portaient sous leurs ailes des messages d'amour.

On accueillait les voyageurs égarés et les voleurs d'étoiles.

Tout cela, Baroud de Morte-Paye ne l'aurait pas permis, qui n'aimait que le bruit des batailles. À peine tolérait-il les chansons à boire.

Mais il avait depuis longtemps quitté le château. Cinq années s'étaient écoulées depuis son départ vers le pays d'Orgon, où le Kron aimait guerroyer. Cinq années où Morte-Paye n'était pas réapparu, contrairement à ce qu'il faisait lors de ses campagnes dans l'empire de Ziao. Peu à peu, avec délice, la cour s'était habituée à son absence. On abandonna les jeux de lutte et les tournois, on oublia de graisser chaque jour les chaînes du pont-levis, comme Morte-Paye l'avait ordonné. Les oriflammes furent laissées au fond des coffres, ainsi qu'épées, piques et cottes de mailles. Les soldards de la garnison devinrent des jardiniers, des cuistots.

Le château de Morte-Paye devint un lieu de paix.

Dame Guilledouce y régnait avec bonté. Chacun l'aimait. Chacun mais plus encore Paulin d'Abba, qui eut pour elle une flamboyante passion et devint son amant. Cela, le grimoire ne le disait pas, mais chaque jour les voyait plus tendres l'un avec l'autre. Et l'amour que la châtelaine portait au trouvamour n'ôtait rien à celui qu'elle avait pour son fils, toujours à ses côtés. Qu'elle chérissait entre tous. Qui était l'autre pan de son âme.

Martial de Morte-Paye baigna dans ce luxe inouï jusqu'à l'âge de quinze ans. Son père ne lui manquait pas, bien qu'il fût chaque jour présent dans ses pensées, comme il est normal à un fils.

Au contact des trouvamours, des baladins, des poètes, il maniait le vers, pinçait le gluth. Dans le grimoire se trouvaient plus de mille vers qu'il avait écrits, et quelques mélodies. Martial semblait doué pour tout, et gourmand de tout.

On l'appelait Doigts-d'Or, à cause de son habileté à jongler, à peindre, à coudre, à façonner la glaise ou à faire des tours de cartes. Il adorait danser et réclamait des bals à cor et à cri. Guilledouce invitait alors jouvenceaux et jouvencelles, qui venaient d'autres cours, parfois même d'autres pays. Les fêtes étaient joyeuses. On y faisait des tournois de mots d'amour.

C'est au cours d'un de ces fameux bals que Martial rencontra la princesse Miloska. L'espace d'une danse, puisqu'il dansait avec chacune des jouvencelles. Une danse, une seule, mais son souvenir, qui occupait quatre pages pleines du grimoire, était de miel et de foudre. Leurs yeux ne se quittèrent pas de la soirée, ni de la nuit, car le bal dura jusqu'à l'aube. Lorsqu'elle repartit avec son équipage, pour une destination inconnue, Martial sut qu'il venait de rencontrer l'Amour. Il en resta longtemps ébloui.

Ici, Bouzouk s'interrompit, car quelqu'un pleurait à petits coups, près de lui. La lecture l'absorbait tant qu'il en oubliait où il était, et avec qui. Bien sûr, les larmes étaient celles de Bel-Essaim, qui sanglotait dans le giron de Bouffe-Bœuf. La dernière évocation venait de lui ôter l'espoir que son mignard l'aimât un jour.

Bouzouk soupira et reprit sa lecture.

Cinq ans, donc. Puis Morte-Paye revint, en novembre, un soir de brume. Une poignée de soldards l'accompagnait. Tous en guenilles, efflanqués, cabossés, couturés. Personne ne les avait entendus arriver, aucun guetteur n'avait soufflé dans sa corne. Ils entrèrent comme une bourrasque dans la grande salle de banquet, où

Guilledouce soupait en compagnie de Paulin d'Abba, Martial et quelques autres.

À voir sa femme près du trouvamour, Morte-Paye comprit son infortune. L'amour de ces deux-là crevait les yeux ! Et ceux d'un guerrier qui rentre au bercail, près des siens, sont pénétrants. Morte-Paye, un instant foudroyé, se mit à insulter les deux amants. Il sortit son épée, fracassa quelques chaises. Le grimoire n'en disait pas plus sur l'effroyable colère du seigneur des lieux, car Morte-Paye ordonna à son fils de regagner sa chambre. Le reste échappa à Martial.

La dernière scène gravée dans sa mémoire avait eu lieu dans la cour du château. Une scène horrible. Martial était près de son père, qui le tenait d'une poigne ferme. Les murailles étaient flanquées de potences où se balançaient quelques pendus parmi les trouvamours et les poètes. Ceux qui n'avaient pas réussi à échapper à la traque des soldards de Morte-Paye.

Guilledouce et Paulin d'Abba auraient pu tout aussi bien y figurer, mais Morte-Paye avait imaginé pire encore.

Il leur donnait une monture et l'espace d'un jour pour chevaucher jusqu'où bon leur semblerait. Après cela, il les chasserait comme gibier avec ses soldards. Sa dernière parole avant qu'ils ne franchissent le portail fut : « J'armerai mon fils pour qu'il te pourfende de toute éternité, toi et ton trousse-cul ! »

Martial ne pleura pas. Il sentit seulement son cœur cesser de battre un instant, puis un voile noir le recouvrit tout entier.

Ainsi finissait le grimoire.

Les mains encore crispées sur le cuir, Bouzouk trem-blait comme une feuille d'ajonc. Cela ne ressemblait en rien à la version que son père lui avait donnée, sur les remparts du château de Knut le Fourbe. Morte-Paye aurait donc traqué sa femme et le trouvamour ! Jusqu'où donc ? Et le jeune Martial, qu'était-il devenu, aux mains d'un père fou de haine et de vengeance ?

Qui pourrait le lui dire, sinon le troisième grimoire ? Sûrement pas son père. La parole de Morte-Paye ne vau-drait jamais rien de plus que sa haine.

Autour de lui, tous se taisaient, les oreilles bourdon-nantes encore. Puis Bel-Essaim se mit à sangloter bruyamment, et cela les réveilla.

– Doigts-d'Or ! gloussa Ganachon. Bouzouk Doigts-d'Or ! Joli nom de cousette pour un cavalier !

Pour une fois, Mille-Mots ne trouva rien à dire, ni Bouffe-Bœuf, que cette histoire laissait sur le flanc. Définitivement convaincu que le passé pesait trop de mal-heurs et qu'il valait mieux, comme lui, n'en posséder point.

Bel-Essaim cessa de pleurer. Elle se mit à songer à cette Miloska, qu'elle voyait déjà luire dans les yeux de Bouzouk. Sans doute fallait-il un grand amour à son mignard pour oublier ce qu'il venait de lire.

Il y eut un long silence, durant lequel le ruisseau fit entendre sa chanson. Bouzouk semblait l'écouter avec soin, comme s'il en attendait un conseil. Un signe qui lui dirait la sente à prendre.

Mais l'eau courait en glougloutant, ainsi qu'elle le fai-sait depuis des lustres. De message, point. De sorte que Ganachon lança l'idée qu'il fallait changer d'air. Visiter de lointaines contrées, s'étourdir, humer des odeurs nouvelles.

—Pourquoi te presser, cavalier ? La tomate rosit-elle avant d'être verte ?

Ganachon voyait juste, comme toujours. Il fallait du temps à Bouzouk pour mâcher ses souvenirs, et les digérer. Ce qu'il ferait avec courage, avec détermination, nul n'en doutait. Car à l'évidence, il cheminait dans sa quête. Et, malgré le risque de découvrir pis encore, il lui fallait avancer.

Il fut entendu qu'ils chevaucheraient au hasard du vent qui, parfois, déchire les brumes.

CHAPITRE 6

ILS PARTIRENT. LE TROT DU CHEVAL LES BERÇAIT JOLIMENT. En quête de passé, Bouzouk goûta néanmoins au présent, comme ses compagnons. Ils firent route au sud, parmi des vallons mafflus plantés d'ormelles. L'air fleurait bon. Le voyage s'annonçait paisible.

Cependant il était écrit que Bouzouk ne vaquerait pas ainsi longtemps. Zout y veillait, à moins que ce ne fût Gozar.

L'événement eut lieu alors qu'ils longeaient un petit bois sombre. Ils entendirent des cliquetis, des cris. Quelqu'un hurlait bien fort qu'on l'égorgeait. Il semblait sincère.

Ganachon entra vivement dans les fourmilles. En quelques sauts, l'équipage fut sur place. Il s'y passait ceci : un colporteur affrontait une dizaine de coquins qui en voulaient à sa carriole. Pour l'heure, l'homme s'efforçait de parer l'attaque avec son gourdin de marche. Devant les dix lames ferraillant contre lui, il avait assurément peu de chances.

C'est dire si l'arrivée de Ganachon changea son destin. Au lieu d'être cisaillé de haut en bas, il assista à un spectacle de haut vol : le bombardement par crocrottins d'une troupe de canailles. Il y eut trois salves. La première désarma les crapules, la deuxième les culbuta au sol. Quant à la dernière, elle fut redoutable : chaque crocrottin tiré s'écrasant sur la face d'un gredin. Les dix brigands s'enfuirent ventre à terre, et puants comme porcasses.

L'échauffoure avait été belle et vive.

Le colporteur loua ses sauveurs et leur offrit sur-le-champ un rabais sur sa marchandise. Dans sa carriole, que traînait une mule, il se trouvait un lot de soieries et de velours, qu'il acheminait vers le nord.

Mille-Mots et Bel-Essaim, qui trouvaient leur tenue racornie, se mirent à fouiller les tissus. Bouffe-Bœuf essaya quelques turbans. Bref, on profita de l'aubaine.

Bouzouk préféra questionner le colporteur. Apprenant que l'homme venait des Kronouailles, il s'étonna : passait-on désormais les gorges d'Zwmlgfsct sans encombre ? Oui-da, lui fut-il répondu. Puisque aucun soldard n'en gardait l'entrée, une aimable cohue s'y pressait. C'était miracle pour le négoce ! Surtout, ajouta le colporteur, avec ce qui se préparait !

– Quoi donc, mon ami ? interrogea Bouzouk.

– Ah ! C'est qu'on marie la fille du Kron, voyageur. Il va y avoir ripaille et fête au palais ! Alentour, foires de toutes sortes ! L'époque sera belle pour les affaires, crois-moi !

L'homme ajouta qu'au jour de Saint-Barde, il y aurait au palais du Kron un grand tournoi de trouvamours. Il en viendrait de tout le pays et même du Médiome, d'Orgon, de la lointaine Assussie. L'objet de ce rassemblement était de choisir un trouvamour, et un seul ; celui qui égayerait les épousailles de la fille du Kron.

Incrédule, Bouzouk écarquilla les yeux. Par Zout ! Quelle chance inespérée ! Il éclata de rire et, agrippant le colporteur, esquissa avec lui un pas de danse.

– Te voilà bien joyeux ! s'étonna Ganachon.

Parbleu ! Voilà qui était sidérant. Un tournoi de trouvamours, bigrejoute ! l'occasion était trop belle ! Bouzouk y voyait l'opportunité de séjourner à la cour et de dénicher le possesseur du troisième tome de ses Mémoires.

– Souviens-toi, mon ami ! Ce perruquier du Kron, à qui Mille-Mots a vendu un grimoire.

– Cavalier, ton destin s'accélère. Mais il viendra au palais des trouvamours habiles. Es-tu sûr d'être prêt pour cette joute ?

Bouzouk serra les poings. Il vaincrait. Il serait le meilleur ! Une ardeur l'embrasa soudain, à penser que, marchant sur les traces de Paulin d'Abba, il retrouverait ses souvenirs. Sa mère aimerait cela.

– En route, la compagnie ! tonna-t-il. Chez le Kron !

Bien sûr personne n'obéit. Bel-Essaim, tout enrubannée d'une étoffe soyeuse, réclamait un miroir au colporteur. Et les autres la regardaient avec grand bonheur.

Bouzouk devrait encore patienter quelque temps, malgré l'empressement qu'il avait. Qu'on bouscule le sort, certes ! Mais pas dans un moment pareil.

Fin du livre 1

Ventrebide ! Comme s'il suffisait d'être trouvamour pour retrouver la mémoire ! Que Bouzouk ne se méprenne point : il lui faudra batailler d'arrache-pied pour retrouver ses autres grimoires. Affronter monstres, dieux et crapules, déjouer d'infâmes complots ! Ah ! Le métier de héros n'est pas chose facile ! Mieux vaut n'être qu'un lecteur : cela est de moindre danger.

Suis donc la quête de Bouzouk
dans le Livre 2 du *Cavalier sans nom* :
La Colère des dieux.

Petit sac à mots

*Où le lecteur trouvera un glossaire expliquant
certains mots, dont le sens lui aurait échappé
en première lecture, suivi d'un index
des personnages & des lieux du récit.*

À FORSSALLURE : vite.

AGRIPPE : maladie.

ASTOPPER : arrêter.

BABILLE : babine, lèvre.

BABUGLE : animal carnassier.

BAMBOCHON : joyeux fêtard.

BAMOULINET : coup
d'escrime.

BARBULETTE : barbichette.

BARDACHE : *interjection*.

BARIBOU : animal.

BAVOTTARD, BAVOTTIN,
BAVOTTON : bavard.

BAVOTTE : discours.

BAVOTTER : bavarder.

BAVOTTERIE : discussion
vaine.

BELOISEAU : jeune homme.

BERCE-PENDULE :
radiesthésiste.

BESTIARD : bête épaisse.

BIDOCHARD : gros insecte.

BIGLER : regarder.

BIGREBEC, BIGREBLAZE
ET AUTRES : *jurons*.

BIMBOCHON : *insulte*.

BISOUTIER : marchand
de bisous.

BISTROUILLE : boisson.

BLAIROTIN : animal.

BLUTE : céréale.

BLUZARD : rapace.

BOABAB : arbre.

BOMBARBON : petit canon.

BONBEC : excellent.

BOUFFAILLER : manger.

BOUFFE-BAFFES : *insulte*.

BOUFFE-BOUFFE : *insulte*.

BOUGNE : coup.

BOUGNER : frapper.

BOUGNON : brute.

BOULARDE : grosse boule.

BOURDAMOU : pot de
chambre.

BOURRE-MISÈRE : *insulte*.

BOURRIQUON : cheval.

BOUSARD : *insulte*.

BRAILLARDISE : cri.

BRAVACHON : courageux.

BROUTE-CARNE : charognard.

BROUZE : monnaie du pays
d'Opule.

CACATOIS : dialecte.

CAGASSE : bosse.

CAGASSER : bosseler.

CALEMBOURRE : plaisanterie.

CAPILLE : cape.

CATACLOP : bruit de sabots.

CHOPILLE : verre.

CHOUCHOUGNER : casser.

CHOUGNARD : *insulte*.

CHOURAVE : fruit.

CHOURE : outil.

CLINQUAILLE : bijou.

CLIQUAILLER : cliqueter.

CLOCHAILLE : cloche.

COLIMAÇONNER : tourner en colimaçon.

COMPTE-CULASSE : métier militaire.

CONFIOTTIS : confettis.

CONTE-FLEURETTE : romantique.

COQUEBUCHE : maladie.

COQUOUILLON : imbécile.

CORBAILLON : corbeau.

COUPE-TRIPES : poignard.

COURTISARD : courtisan.

CRAPAUDE : *insulte*.

CRAPION : *insulte*.

CRAPULON : *insulte*.

CRAQUE-MINETTE : jeu.

CREVAILLER : mourir.

CRÈVE-PINGLOT : *insulte*.

CRIQUAILLON : sauterelle.

CRIQUETON, CRIQUON, CRIQUOUILLON : garçon.

CROCROTTIN : crottin-projectile de Ganachon.

CROQUE-LARD : jeune homme.

CROQUINER : croquer.

CROUPIAUD : *insulte*.

CUCULON : *insulte*.

CUISTRÔT : cuistre.

CUL-DE-POULE : *injure*.

CUL-GLAISEUX : paysan.

DÉGRINGOUILLER : tomber.

DERCHE : cul.

DINDRON : herbe moussue.

DRAGORET : gargouille à tête de cochon.

DRILLON : nain de cour.

DUCON : monnaie des Kronouailles.

ÉCHAUFFOURRE : combat.

ÉCORNICHOUFLEUR : *insulte*.

ÉCORNIFLURE : égratignure.

EMBÂFRER : avaler goulûment.

EMMORVER (S') : s'enrhumer.

EMPANACHOUILLÉ : empanaché.

EMPAPAOUTÉ, EMPAPAOUTEUR : *insulte*.

EMPAPILLOTER : cuire.

ENALLER (S') : partir.

ENCACHOTTER : emprisonner.

ENCAILLOUSSER : empierrer.

ENCOCONNER : transformer en cocon.

ENCOLLER : suivre.

ENFOURRACHER : enfourcher.

ENGOURDINER : assommer.

ENGRHUMER (s') : prendre froid.

ENNOUILLER : ennuyer.

ENSABLONNER (s') : s'enliser.

ENTOURNIQUER : mélanger.

ÉPOUVETTE : outil.

ESCAGACHER : découper.

ESGOURDAILLE : oreille.

ESPANTOUILLER : épater.

ESTOUFFADER : étouffer.

ÉTERNUCHE : éternuement.

ÉTERNUCHER : éternuer.

FEND-TROP-D'AIR : impatient.

FLUETTE : oiselet.

FORMILLION : insecte souterrain.

FOUASSER : recouvrir.

FOURAILLE : fouille.

FOURAILLER : fouiller.

FOURMILLE : buisson.

FOURRACHE : foin.

FOUTRIQUON : *insulte*.

FRELUCHON : nabot.

FRELUQUE, FRELUQUIN, FRELUQUON : *insulte*.

FREU : homme médiocre.

FRIPOUILLARD, FRIPOUILLON : canaille.

FROTTE-AU-DERCHE : lubrique.

FROUARD : imbécile.

FROUILLE : oiseau charognard.

KNUT LE FOURBE

FUMASSER : fumer.

GAMBETTER : courir.

GARDE-BOUFFAILLE : garde-
manger.

GARGANTUERIE : repas
de chair humaine.

GIBAILLE : gibier.

GLAÇONNER : glacer.

GLÉBEUX : paysan.

GLUMACE : mollusque.

GLUTH : instrument
à cordes pincées.

GNOUR : oiseau noir
et bavard.

GONGOMBRE : légume.

GORAIL : endroit où sont
entreposés les grimoires.

GORE : vol de mémoire.

GORELLE : qui pratique
la gore.

GORER : voler la mémoire.

GOSSELIN : gosse.

GOURMANDIN : amateur.

GOUROUGOU : mage.

GOUSIER : gosier.

GOUTRE : oiseau gourmand.

GRABEDON : personne
grosse.

GRABON : jambon.

GRABOULER (SE) : se presser.

GRADOUBLON : personne très
grosse.

GREDARD : gredin.

GRELON : insecte.

GRENUCHE : femme
de mauvaise vie.

GRENUCHON : homme
de mauvaise vie.

GRHUME : maladie.

GRIFFLON : chien à tête
de lion.

GROGNACHON : imbécile.

GROLESQUE : drôle.

GRONDASSE : *insulte*.

GRONDINER : gronder.

GROPOTIN : fesses.

GROULACHE : petit animal
savoureux.

GRUCHE : animal à pis.

GUEULAILLERIE : cri.

GUEUSARD : *insulte*.

HALLEBARQUE : arme à lame
effilée.

HYDROMIEL : boisson sucrée.

JARVELLE : solution
décolorante.

KOHOL : alcool.

LABOURRIN : cheval de trait.

LANGOTTER : lécher.

LYSSE : fleur.

MÂCHE-RIME : poète.

MAFFLURE : personne obèse.

MAIGRELARD : maigrichon.

MALECORNE : *juron*.

MANGE-CLOU : outil.

MANGE-RACINES : mort.

MANIVIELLE : instrument
à cordes frottées.

MARÉCHON : haut grade
dans l'armée.

MARMALADE : confit
de poison violent.

MARMOTIN : enfant.

MARQUISARD : titre à la cour
du Kron.

MERLUTIN : poisson.

MOK : oiseau railleur.

MORBEC : morveux.

MORCUL : *juron*.

MOUCHE-NEZ : mouchoir.

MOUCHEQUET : arme à feu.

MOUFFE : herbe.

MOUFLARD : *insulte*.

MOULÂCHECOUARD :
plus-que-poltron.

MOUSTICAILLON,
MOUSTIQUON : *insulte*.

MUSARDIN : promeneur.

NIFLARD : animal bruyant.

OGRASSE : femme énorme.

OMBRE (MOLLE) : âme
des morts.

ORGNON : légume.

ORMELLE : arbre.

OUICHE : oui.

PACHYDERCHE : gros du cul.

PANSEPIÈTRE : petit mangeur.

PATABOUFFE : goinfre.

PAUVRELET : pauvret.

PAVOTTE : danse.

PENDULARD : radiesthésiste.

PERLOTER : perler.

PERRUCHAILLE : *insulte*.

PESTEFOUCHTRE : *juron*.

PÉTOCHARD, PÉTOCHON :
peureux.

PICAILLE : métal précieux.

PICON : fleur.

PIOCHON : outil de paysan.

PIPAILLERIE : cri.

PIPOUNET : *mot doux*.

PISSE-DRU, PISSE-MENU :
  insultes.

PISSE-RIMAILLE : poète.

PISSETRELLE : chauve-souris.

PISSE-VERBE : écrivain.

PISTAILLE : pistolet.

PISTOUNET : jeune homme.

PLEURNICHAILLER : pleurer.

PORCASSE : cochon.

POUACH : *interjection*.

POUAQUE : animal très laid
  et très naïf.

POUPILLON : papillon.

POURLICHER (SE) : se lécher.

POUSSE-CHANSON : chanteur.

POUSSE-PET : cul.

PRANQUELLE : arme lourde.

PROMPT-À-TOUT : pressé.

PUE-DU-DERCHE : *insulte*.

PUE-GOSIER : qui a mauvaise
  haleine.

PUEUX : puant.

PUROLLE : bouillie.

PUTRIN : lieu puant.

RABÎMER : détériorer.

RABOULER (SE) : se presser.

RACUIT : fichu.

RAPIONCER : dormir.

RATROUSSER (SE) : se sauver.

RELORGNER : relire.

RÊVAILLER : rêver.

RÊVAILLON : rêve.

RHUMOPPOTAME : très gros
  animal.

RIMAILLE : poésie.

ROGNARD : rognure.

RONFLÉE : sommeil.

ROUARD : rusé.

ROUCOUCOULER : parler
d'amour.

ROULE-HANCHE : *insulte*.

ROUPITAMBOUR : légume.

ROUSTIR : cuire.

RUBÉCOLE : maladie.

RUBIOLE : pierre précieuse
  de couleur rouge.

RUGUEUX : pauvre.

SAC À BISTROUILLE : *insulte*.

SAC À CROTTES : *insulte*.

SAC À MEUGLES : bavard
  bruyant.

SAINT-BARDE : fête
  des trouvamours.

SANS-CHAIR : mort.

SAUCIFARD : long boudin.

SCRIBROUILLE : écrit.

SCRIBROUILLON : écrivain.

SKONJ : animal mystérieux.

SNIFFER : sentir.

SOLDARD : soldat.

SORCELLE : oiseau nocturne.

SORCELURE : sorcellerie.

SOUFFROTER : souffrir.

SOUPARDE : soupe puante.

TAMPOCHER (SE) : se moquer.

TAUPILLE : animal myope souterrain.

TAUPION : mineur.

TÊTE À PITRE : *insulte*.

TOURILLER : tordre.

TOURNEVISSER : faire bouger.

TOUSSARD : qui tousse beaucoup.

TOUSSOTE ; maladie.

TOUT-NU : celui qui naît du Bouchard.

TRANCHAILLER : égorger.

TRANCHE-GIGOT : boucher.

TRIPOTARD : tricheur.

TRIPOTE-DENT : cure-dent.

TROTTE-BOUFFI, TROTTE-PETIT : *insultes*.

TROUPIRAIL : entrée du Bouchard, par l'antre de M'mandragore.

TROUSSE-CADAVRE : pilleur de tombe.

TROUSSE-CUL : *injure*.

TROUVAMOUR : troubadour.

TROUYÈRE : habitation troglodyte des Bougres dans le Cuvon.

VACHETRIN : animal domestique.

VERMICELLE : maladie.

VESSE : vent violent.

VÊTOCHER : vêtir.

VIDAILLER : vider.

VIDE-CHAUSSES : voleur.

VIREVOLTE : coup d'escrime.

VOIX-DE-FAUSSARD : chanteur.

VRILLOTTE : coup d'escrime.

ZOL : épice.

ZOLIER : ouvrier dans les mines de zol.

ZONZOTTE : jeu de cartes.

LES BABUGLES

ABBA (PAULIN D') :
trouvamour, amant
de dame Guilledouce.

AMADOU : dieu
des trouvamours.

BARBEROLLE : allié de Morte-
Paye.

BBÂ'B : dieu des vauriens.

BBLETTE : mercenaire
sanguinaire.

BBOGUE : sorcier, prêtre
du temple de Ggrok.

BBROIN : créature des
Marais-Puants.

BEC-BUBON : naufrageur.

BEL-ESSAIM : Bougresse.

BOUFFE-BŒUF : chef
du clan des Bougres.

BOUGRE : habitant
du Cuvon.

BOUILLOTTE (DAME) : femme
de Trousse-Cœur.

BOUT-D'ANGE (SŒUR) :
moniale du cloître
d'Orfroi.

BOUZOUK (ACHILLE) : héros
de ce récit.

BOUZOUK (TRISTAN) : père
imaginaire de Bouzouk.

BUBUR LE GOLIK : dieu.

COL-DE-ROGNE : naufrageur.

COULEMELLE (DAME) :
aventurière.

CROUPE-DUC : allié
de Morte-Paye.

CUCULLE : Bougresse.

DDRÔG : dieu des Marais-
Puants.

DEUX : fils puîné de
M'mandragore.

DOIGTS-D'OR : surnom
de Bouzouk adolescent.

ESCULOPE : dieu
des médecins.

FOSSETTE (SŒUR) : moniale
du cloître d'Orfroi.

GANACHON : cheval et ami
du héros.

GARGOUILLE : Bougresse.

GGROK : dieu, maître
des Marais-Puants.

GIRON (MÈRE) : supérieure
des moniales du cloître
d'Orfroi.

GOBILLE : aubergiste.

GOUANO : dieu
des semailles.

GOULIN : Pouf.

GOZAR : dieu des dieux.

GRAINE-DE-RIEN : Bougre.

GRAND GOUROUGOU (LE) :
mage.

GRIMO : scribrouillon, mari
de M'mandragore.

GRISE-GRINCHE (DAME) :
nourrice de Martial
de Morte-Paye.

GROS-BIGLE : naufrageur.

GUIBOLLE : camelot
du foirail de Zoleil.

HIPPOCROTE : médecin
célèbre.

IZARE : dieu, maître des
Plaines-Rieuses.

JOUJA : muse de la poésie.

KABOK : déesse de l'amour.

KNUT LE CAUTELEUX, KNUT
LE CHAFOUIN, KNUT
LE RETORS, KNUT
LE VICELARD : tous
de la dynastie des Knut
d'Opule, ancêtres de Knut
le Fourbe, roi d'Opule.

KRABOUSSE (LE) : dragon
du Cuvon.

KRIK : dieu des combats
singuliers.

KRON (LE) : roi des
Kronouailles.

KSR : maréchon du Kron.

LA GRELOTTE : Bougre.

LANGUE-À-GLU : nom
attribué à Bouzouk.

LORGNE-CUL : trouvamour.

LE KRABOUSSE

MALEBASSE : charlatan.

MIGNARD : nom attribué à Bouzouk.

MILLE-MOTS : scribrouillon.

MIŁOSKA : princesse inconnue.

M'MANDRAGORE : gorelle, voleuse de mémoire.

MMOLLOCHE : dieu des Marais-Puants, chargé, avec ses Bbroins, des marmites où bouillonnent les ombres molles.

MORTE-PAYE (DAME GUILLEDOUCE DE) : mère de Martial de Morte-Paye.

MORTE-PAYE (MARTIAL DE) : fils de Baroud et Guilledouce. Véritable nom d'Achille Bouzouk.

MORTE-PAYE (SIRE BAROUD DE) : père de Martial de Morte-Paye.

Ô : dieu des poètes et des scribrouillons.

PENSE-BÊTE : Bougresse.

PERPÈRES : peuple de laboureurs.

PETIT GOUROUGOU : nom de mage d'Achille Bouzouk.

PÉTOCHON : Pouf.

PHAONX : créature parlant par énigmes.

PILPIL : radiesthésiste.

PIMPOLE (SŒUR) : moniale du cloître d'Orfroi.

POUF : nain brigand.

POUSSAH : gouverneur des Pouilles.

PROUTZ : grand stratège.

PUSTULE : Bougre.

RAK LE TUK : grand guerrier.

ROUPILLON : chef des Poufs.

RRÔDAR : dieu des Marais-Puants.

SAC-À-BOUGNES : chef des naufrageurs.

SAINT-DOUBLON : allié de Morte-Paye.

SILENCE (SŒUR) : nom de moniale de Guilledouce.

TARIN : zolier de Zoleil.

TRAÎNE-SOUCHE : Bougre.

TROIS : fils cadet de M'mandragore.

TROUSSE-CŒUR : trouvamour, amant de dame Bouillotte.

UN : fils aîné de M'mandragore.

VALADINGO : dieu.

VENTRE-À-TERRE : Bougre.

WŨUL : dieu des serments.

YONNE : magicienne, mère imaginaire de Bouzouk.

ZOUT : dieu tutélaire d'Achille Bouzouk.

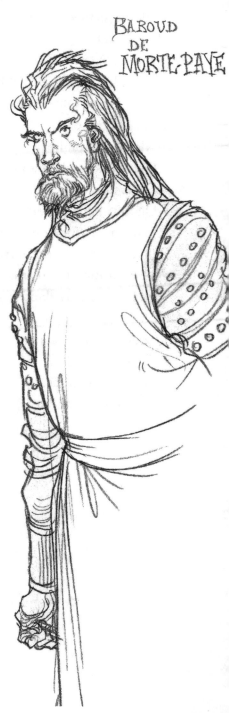

BAROUD DE MORTE-PAYE

MORTE-PAYE (FORT DE) : lieu de naissance d'Achille Bouzouk.

OMPALINE (DÉSERT D') : étendue infinie de sable.

OPULE (ROYAUME D') : pays voisin ennemi des Kronouailles.

ORFROI (ROC D') : mont d'Opule.

ORGON : pays fameux, voisin des Kronouailles.

ORIGAN : pays imaginaire.

PLAINES-RIEUSES : territoire d'Izare, accueillant les ombres molles des honnêtes gens.

POUILLES : région de Kronouailles.

PÛ : lieu de bataille.

RÔ : fleuve d'Opule.

TINTOUIN (MONT) : lieu où est sis le palais du Poussah des Pouilles.

UZTHWKX : village d'Opule.

WSIX : région d'Opule.

ZIAO : empire lointain.

ZOLA : village de Kronouailles.

ZOLEIL : cité minière de Kronouailles.

ZOLI : hameau de Kronouailles.

ZOLOUR : bourg de Kronouailles.

ZWMLGFSCT (GORGES D') : défilé entre les Kronouailles et le royaume d'Opule.

Chroniques du bout du monde
de Paul Stewart et Chris Riddell

Tome 1
Par-delà les Grands Bois

Lieu de ténèbres et de mystère, les Grands Bois offrent un asile rude et périlleux à ceux qui les habitent. Et ils sont nombreux : trolls des bois, égorgeurs, gobelins de brassin, troglos... C'est là que vit Spic, du clan des trolls des bois. Il est troll et pourtant...

Trop grand, trop maigre, il est différent. Tellement différent qu'il doit fuir, par-delà les Grands Bois. Mais surtout, surtout, sans jamais sortir du sentier. Jamais...

Chroniques du bout du monde

Tome 2
Le chasseur de tempête

Ville de mystères et de danger, Sanctaphrax peut tout offrir au visiteur : argent, bonheur, pouvoir, mort... Spic, nouvellement enrôlé dans l'équipage du Chasseur de tempête, est envoûté par la cité flottante. Mais Sanctaphrax est en danger... Sa survie dépend du phrax de tempête, une substance qui maintient son équilibre. Sans lui, la ville briserait ses amarres, et s'envolerait dans le ciel à tout jamais...

Or le phrax ne peut être récolté qu'au cœur même de la Grande Tempête, à l'instant où elle est la plus violente. Un seul navire est capable d'affronter une telle violence : *Le chasseur de tempête...*

Chroniques
du bout du monde

Tome 3
Minuit sur Sanctaphrax

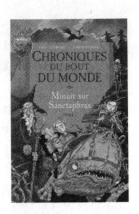

Loin, très loin dans le ciel infini, un redoutable danger menace : c'est la Mère Tempête. Celle qui détruit tout sur son passage. Celle par qui tout meurt et tout renaît. Sanctaphrax se trouve sur son chemin, mais personne ne le sait. Seul Spic pourrait éviter le désastre.

Avec son nouvel équipage, le jeune pirate du ciel s'est aventuré bien au-delà du bout du monde. Il a découvert ce qui se prépare. Mais lors de son voyage, il est projeté au cœur du Jardin de pierres. Et Spic perd la mémoire...

Chroniques du bout du monde

Tome 4
Le dernier des pirates du ciel

Maladie de la pierre.

Quatre mots qui ont tout changé. Tout : la cité volante de Sanctaphrax ne flotte plus, les bateaux de la Ligue sont cloués au sol, les pirates du ciel ont disparu à jamais... Comble de malheur, une lutte à mort a placé l'usurpateur Vox Verlix au pouvoir. Les érudits, qui régnaient jadis en maîtres, sont désormais condamnés à vivre clandestinement, dans la fange des égouts d'Infraville.

C'est là, au cœur d'un dédale de salles souterraines, que vit Rémiz, un jeune sous-bibliothécaire de 13 ans. Orphelin, il ne sait rien de sa naissance. Il ne sait rien non plus de l'intérêt que les érudits lui portent. Et surtout, il ne sait rien du destin qui l'attend...

Chroniques
du bout du monde

Tome 5
Vox le Terrible

Vox Verlix. Dignitaire suprême de Sanctaphrax. Un tyran. Mais un tyran de papier, qui vit reclus dans un palais délabré. Un obèse alcoolique qui, dans ses moments de lucidité, élabore des plans de vengeance. Quand Rémiz, le jeune chevalier bibliothécaire, découvre ces projets, il est glacé d'effroi : car c'est toute la Falaise qui est menacée.

Chroniques du bout du monde

Tome 6
Le chevalier
des clairières franches

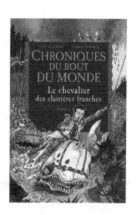

Infraville est détruite. Ses habitants ont tout perdu. Guidée par les chevaliers bibliothécaires, la foule des Infravillois se prépare à un long exode. Direction : les Clairières franches, le seul espace de liberté qui subsiste encore, au cœur des Grands Bois. Un long et périlleux voyage…

Une première version de ce roman, illustrée par Mazan,
a été publiée en deux tomes
aux éditions Casterman, sous les titres
Les Mange-mémoire et *Les Fantômes d'Aham*.
Les illustrations des pages 269, 271, 273, 276 et 279
sont de Chris Riddell.

Achevé d'imprimer en France
par Normandie Roto Impression s.a.s., 61250 Lonrai
N° d'impression : 05-2519
Dépôt légal : 4ᵉ trimestre 2005